아직 걷고 있는 사람들을 위해

아직 걷고 있는 사람들을 위해

햅삐킴

이화영

지구소풍

배가은

이희주

글Ega

여기, 어딘가를 향해 부단히도 걷고 있는 다섯 명이 있습니다.

어떤 이는 힘겨웠던 과거를 뚜벅뚜벅 걸어 나오고 있고, 어떤 이는 더 나은 내일을 걷기 위해 오늘을 잠시 멈추기도 했습니다. 어떤 이는 늘 걷던 곳을 벗어나 낯선 길을 걸었고, 어떤 이는 자신의 기억 속 이 방 저 방을 부지런히 옮겨 다녔습니다. 또, 어떤 이는 그동안 걸어온 길에서 얻은 용기와 지혜를 나눠주고 있습니다.

살아온 배경과 가치관, 연령대까지 모든 것이 달라 낯설고 어색했던 우리는 서로의 글을 통해 모두가 공통으로 어딘가를 걷고 있음을 발견했습니다. 그것은 누군가의 강요도 돋보이려는 꾸밈도 없는, 자신의 가장 순수하고 솔직한 모습이었습니다. 그래서 서로의 글을 통해 알게 된 각자 걸어온 길과 아직 걷고 있는 그 길들이 좋아 보였고 응원하게 되었습니다.

이 책을 어쭙잖은 조언이나 하나의 목적지로만 가야 한다는 강요로 채우고 싶지는 않았습니다. 그저 각자의 길을 개인의 속도로 묵묵히 걸어가는 우리의 '글 길'을 열어 보여주고 싶었습니다. 여러분이 이 책을 읽는 동안 우리가 열어둔 그 길을 따라 때로는 천천히, 때로는 즐겁고 경쾌하게 함께 걸을 수 있으면 좋겠습니다.

아기는 약 삼천 번 정도 넘어졌다 일어서기를 반복한다고 합니다. 단지 걷기 위해서요. 그러다 걷는 것에 익숙해지고 시간이 지나면, 어떻게 걷거나 뛰더라도 전혀 놀랍거나 특별해 보이지 않는 일상이 반복됩니다. 여러분이 이 책과 함께 걷는 과정에서, 자신이 걸어온 혹은 지금 걷고 있는 매우 익숙하고 평범해 보이는 그 걸음걸음이, 지금 여러분이 계신 곳까지 이끌어온 매우 놀랍고 특별한 걸음으로 느껴질 수 있기를 바랍니다.

꼭 앞만 보고 빠르게 달려 나가는 셋난 성남이라고 할 수 없습니다. 목적지를 찾아가는 지금의 지난한 과정이 잘못된 것도 전혀 아닙니다. 각자의 길에서, 각자의 속도로 부지런히 걸어왔고 걸어갈 모든 걸음을 응원합니다.

- 공동저자 中 햅삐킴

차 례

이별하고 싶은 아이들

햅삐킴

햅삐킴 심각한 회피형 인간이었던 과거의 경험과 극복 방법을 블로그에 연재하다가, 다른 회피형 인간들의 마음고생도 같이 덜어 주고 싶어 책까지 쓰기 시작했다. 십 대 때는 각종 심리 문제와 우울감에 '쓸모없는 인간으로 정의했던 본인'의 몸부림과 경험담이, 이제는 꽤 쓸모와 가치가 있다고 자평하는 감사하고 행복한 삼십 대를 보내고 있다.

blog: blog.naver.com/hjportfolio
instagram: @happiness_kim93

내게는 여러 명의 아이가 있다. 다수는 내가 유년기일 때 태어나 함께 자랐고, 그중 일부는 아동 혹은 청소년일 때 태어났다. 살아내는 데에만 급급하다 보니, 내게 이렇게 많은 아이가 달려있었다는 사실을 서른쯤에야 겨우 알아차렸다. 아이들은 왜인지 내가 기쁘고 즐거울 땐 도통 모습을 보이지 않았다가, 슬프고 우울할 때는 귀신같이 알고 나타나 나를 괴롭혔다. 어떤 아이들은 내가 말릴 새도 없이 밖으로 튀어나가 다른 이들에게 상처를 주었고, 어떤 아이들은 모든 게 내 탓이라며 소리를 지르고 화를 냈다. 어떤 아이들은 그 자리에 하루 이틀 꼼짝없이 서서 울기만 했다.

이 아이들의 이름은 '열등감,' '회피,' '애정 결핍'이다.

심리학 용어 중에 '내면 아이'라는 말이 있다. 이미 성인이 된 각 개인의 내면에 과거의 유아기적 모습이 남아 있는 것인데[1], 이는 현재의

---

1   출처: [상담학 사전 세트] 김춘경 이윤주 정종진 최웅용 지음, 학지사

삶과 행동에 많은 영향을 끼친다. 이 용어에서 영감을 얻어, 어린 시절부터 성인인 지금까지도 적잖이 영향을 끼치고 있는 내 열등감, 회피, 애정 결핍 성향을 아직 다 자라지 못한 '아이들'로 표현했다.

완전히 사라졌다고 할 수는 없지만, 지금은 이 아이들과 70% 정도는 이별했다고 할 수 있을 것 같다. 그리고 그것은 이 아이들의 존재를 발견하고 인정하기 시작하면서부터 가능해졌다. 100% 완전히 이별한 후 '짜잔!' 하고 그 방법들을 소개하는 글을 쓰면 좋겠지만, 그 전에 이 글을 쓰는 이유는 다음과 같다. 첫째는 평생 나의 일부였던 이 아이들이 100% 완벽하게 사라질 수는 없다고 믿기 때문이고, 둘째는 내가 이 아이들과 함께 살고 있는 지금 이 시점에서만 전할 수 있는 메시지가 있기 때문이다. 나처럼 현재 자신의 아이들과 동행 중인 사람들에게 위로와 용기를 주고 싶었다. 내 삶에 열등감, 회피, 애정 결핍이 어떤 영향을 끼쳐왔는지, 어떻게 그리고 얼마나 이별하고 있는지 등을 솔직하게 풀어나가는 것만으로도 그분들에게 조금이라도 위로가 될 수 있지 않을까. 그리고 사실, 오랫동안 이 아이들을 받아들이지 못하고 꼭꼭 감추기만 했던 내가 글이라는 매개로 용기를 내어 스스로를 치유하고 위로할 목적도 있다.

기왕 이별하는 거, 성대하게 이별 의식도 치러주고 싶었다. 내게 이 책 자체가 그런 의미다. 이 책을 읽는 여러분 한 명 한 명이 내 이별 의식에 함께해주신다고 생각하며 감사한 마음으로 나의 이야기를 풀어냈다. 혹시나 자기만의 아이들로 인해 괴로워하거나 그들과 이별하고 싶은 분들에게 이 짧은 글이 잠시나마 꼭 위로가 되었으면 좋겠다.

열등감에 찌든 아이

나는 삼 남매 중 둘째로 태어났다. 둘째의 설움은 둘째로 태어나보기 전까지는 모른다는 말이 있다. (이는 사실 내가 지어낸 말이다) 그만큼 여러 명의 형제 중 가운데 위치한다는 건 참 서러운 일이다. 태어나 처음으로 아이를 갖게 된 부모에게 모든 것은 두렵고 낯설다. 사랑스러운 만큼 조심스럽고, 조심스러운 만큼 손이 많이 간다. 그렇게 몇 년을 키우다 보면 자연스레 너무 많이 걱정하고 조심스러워했다는 것을 깨닫게 된다. 조금 더 여유를 가져도 됐을 텐데 괜히 전전긍긍했나 싶기도 하다. 그런 시기에 마침 둘째가 태어나면 첫 아이보다는 육아가 수월하게 느껴진다. 첫째보다 좀 더 쉽게 가도 괜찮다는 걸 경험으로 아는 것이다. 그렇게 첫째와 둘째가 커가면서 신생아를 키우는 느낌이 어땠는지 가물가물해질 무렵 막내가 태어나면 그렇게 또 예쁠 수가 없다. 드디어 그동안의 모든 육아 노하우와 많은 이들의 사랑과 관심을 쏟을 '애지중지 막내'가 탄생한 것이다.

이런 이유로 한 번도 혼자서 가족들의 관심 조명을 오롯이 받아본 기간이 없던 둘째들은 일찌감치 본인의 살길을 찾는다. 내가 살면서 본 둘째들은 본능적으로 독립심이 강하고 눈치가 빨랐다. 나도 그러했다. 항상 'JH 엄마 (언니 이름)' 혹은 'DY 엄마 (동생 이름)'로만 불리던 엄마를 물끄러미 바라보면서, '내 이름을 딴 엄마'로 불리게 하려면 무언가라도 특징 있는 사람, 뛰어난 사람이 되어야 한다고 생각했다. 하지만 강한 의지와는 다르게, 난 딱히 잘하는 것도 두드러진 점도 없었다. 게다가 '매우 느린 기질의 아이'로 태어나 모든 것에 반응이 늦고 겁도 많았다. 어릴 적 혼자 놀다가 문틈 사이에 손가락을 넣어보고 남은 손으로는 대차게 그 문을 닫아버린 적이 있는데 그때도 멍하게 있다가 한 5초쯤 뒤에 울기 시작했다. 아기 때는 혼자 기어가다가 문지방이 나오면 그게 무서워서 그 상태로 주저앉아 울기도 했다고 한다.

그렇게 느리고, 겁 많고, 뛰어나거나 잘하는 것 하나 없던 나는 항상 혼나거나 욕을 먹기 일쑤였고, 그래서 위축된 적이 많았다. 어린 시절을 생각해 보면 자신감 있었던 기간이 별로 없었던 것 같다. 그러나 이런 나와는 달리 언니는 우리 집안의 분위기 메이커였고 잘하는 것도 많았다. 언니는 말도 잘하고 끼가 많았다. 유머 감각도 뛰어나 가족들이 다 같이 모인 자리에서 언니는 언제나 관심의 대상이었다. 나는 늘 그런 언니가 부러웠다. 명절에 친척 집에 놀러 가면 어른들은 내가 왔는지 안 왔는지조차 모를 때가 많았다. 하지만 언니는 꼭 빼먹지 않고 찾았다. 언니에 대한 내 열등감은 날이 갈수록 커지기만 했다.

그러나 아이러니하게도, 언니 역시 나에 대한 열등감으로 힘들어했다. 조용하고 차분하며 자기표현을 별로 안 하는 나와 달리, 언니는 원하는 것이 있으면 손에 넣거나 그 일을 해야 직성이 풀렸다. 그래서 더 많이 혼나고, 종종 말썽꾸러기 취급을 받았다. 그리고 꼭 나와 비교를 당했다. 또, 내가 존재감을 찾기 위해, 곧 살기 위한 생존 수단으로 공부를 택해 매진하고 있을 때 언니는 관심사가 공부가 아니라는 이유만으로 혼날 때가 많았으며, 여기서도 늘 나와 비교를 당했다. 나는 나대로, 언니는 언니대로 서로에 대한 비교와 열등감에 둘러싸인 채 어린 시절을 보냈다.

'열등감이라는 아이'는 이렇게 탄생했다. 그리고 가정뿐 아니라 유치원, 학교, 학원 등 내가 그 어디를 가더라도 끈질기게 따라다녔다. 그러면서 인기가 많거나 성적이 좋은, 혹은 뛰어나게 예쁘거나 착하고 성격 좋은 친구들을 볼 때마다 그들과 나는 무엇이 다른지 조목조목 설명해 주었다. 나만 들을 수 있었던 열등감의 소리는 점차 다른 이들의 소리는 못 듣게 할 정도로 커졌고, 어느새 그 소리는 내 세계에서만큼은 '사실' 그 자체가 되어있었다. 이렇게 열등감은 나의 페이스 메이커(Pace Maker)[2]를 자처하며 30년의 인생 경주를 함께했다. 대학생 때도, 직장인일 때도 한결같이 열등감 페이스를 맞춰주며 결코 나를 혼자 두지 않았다. 나를 지배하는 부정적인 감정이었지만, 한편으로는 내가 경주를 포기하지 않고 이 악물고 달려 나가는 데 가장 큰 역할을 했기 때문에 나는 그 존재에 의문을 던져본 적이 없었다. 그래서 열등감은 나와 더 오래 동행할 수 있었다.

나는 알고 있다. '무언가 빼어나거나 사람들의 관심을 한 몸에 받는 사람이 있다는 것'이 나의 빼어남과 나를 향한 관심을 가져가는 게 아니라는 것을. 그러나 나는 항상 그걸 전혀 모르는 사람처럼 행동했다. 내가 잘하고 싶은 분야를 잘 해내는 사람들, 혹은 다른 이들의 관심과

---

2 중·장거리 경주에 있어 자신의 능력보다도 빠른 페이스로, 또한 다른 선수의 목표가 될 만한 스피드로 다른 선수를 유도하거나 앞질러 가는 러너. [체육학 대사전]

애정을 받는 사람들과 함께 있으면 내가 못 하는 것들이 크게 보였고, 나는 또 존재감 없던 어린 시절로 계속 회귀했다. 열등감은, 발가벗은 듯 숨고 싶기만 한 나를 기어코 찾아내 수치심을 풀세트로 장착시켰다. 그래서 나는 늘 튀어 오르는 열등감과 수치심 가리기에 급급했다.

서른이 되어서야 더 이상 나를 자책할 게 아니라 이놈의 열등감과 헤어져야 한다는 것을 깨달았다. 앞서 설명한 내 모습들이 견딜 수 없을 만큼 싫어졌기 때문이다. 내가 늘 아이로 머물러주길 바라는 열등감과 이별하고 제대로 된 성장을 하기 위해서는 배워야 했다. 그것에 대해서도, 나에 대해서도. 그래서 심리와 관련된 책들을 읽기 시작했다. 그러면서 '수치심'과 '열등감'의 상관관계를 배웠다. 자신이 흠 있는 사람이라는 수치심에 시달리며 자란 사람은 시기와 질투, 더 나아가 열등감에 휩싸이는데, 시기와 질투는 정상적인 감정이지만 거기에 수치심이 가세하면 견딜 수 없어진다고 했다.[3] **결국 시기하고 질투하는 마음은 누구든지 가질 수 있는 흔한 감정이지만, 거기에 자신에 대한 수치심이 들어가면 견딜 수 없는 열등감이 발현된다는 것이었다.**

근본적인 문제가 '나 자신이 흠 있는 사람이라는 수치심'에 있다는 것을 알게 되면서 그동안 살아오는 내내 누군가로부터 인정받기 위해 몸부림쳤던 장면들이 생각났다. 나는 항상 누군가에게 도움이 되는 사람, 필요한 사람, 쓸모 있는 사람이 되기 위해 노력했다. 하지만 문제는 인정의 주체가 내가 아닌 다른 사람이었다는 것이었다. 타인에게

---

3 [마음의 문을 닫고 숨어버린 나에게] 조지프 버고 지음/이영아 옮김 57p-58p

인정받으면 기쁘고 뿌듯하긴 했지만, 모든 순간 인정 받는 것은 불가능했고, 나 아닌 다른 사람들이 조명을 받는 순간은 더욱 견디기 힘들었다. 스스로를 괴롭게 하는 열등감의 근본 원인이 타인이나 나 자신이 아니라, 내 무의식에 있는 수치심이라는 발견은 열등감에서 벗어나는데 큰 도움이 되었다. 사람 자체가 문제가 아니라는 생각을 하게 되면서 그 누구도 탓하지 않을 수 있었기 때문이다.

그래서 나는 타인의 인정에 연연하지 않기 위해, '인정하는 주체'를 타인에서 나로 바꾸기로 결심했다. 나를 인정해 주기 위해 매일 개인 블로그에 **셀프 칭찬**을 남기기 시작했다. 독서나 공부, 식단 조절과 운동뿐 아니라 늦게까지 자서 피로를 푼 것과 햇볕을 쬐며 산책한 것까지 사소한 것들도 세세하게 기록하고 칭찬했다. 그리고 **'나의 계획과 업적'**이라는 거창한 제목의 계획표를 만들어 매주 해야 할 일과 해낸 일들을 구분해 표시하기 시작했다. 아무리 나 자신이 미덥지 않아도 내가 '실천한 것'에 있어서는 인정할 수밖에 없기 때문이다. 완수해낸 일들에 대해서는 충분히 칭찬하고 보상했으며, 못한 일들에 대해서는 자책 하기보다 할 수 있다고 응원했다. 매일 하루도 빠짐없이 **감사일기**도 썼다. 내가 가진 것이 얼마나 많은지, 감사한 일들이 하루에도 몇 번이나 일어나는지 하나하나 기록하면서 내가 정말 특별한 사람이 되는 것을 조금씩 깨달을 수 있었다. 이 모든 작업은 나 자신을 충분히 인정하고 존중해주기 위함이었으며, 누가 뭐라 해도 흔들리지 않는 단단한 나만의 뿌리를 세우는 과정이었다.

🌿 감사일기

매일 아침부터 잠들기 전까지 감사한것들의 생각날때마다 기록해요

<1> 싱그러운 꽃냄새, 풀냄새 등 자연의 냄새를 돈도 안 내고 맡을 수 있게 해주셔서 감사합니다.

<2> 예쁜 벚나무, 벚꽃 구경을 실컷 할 수 있게 해주셔서 감사합니다.

<3> 제가 전반적으로 건강해서, 누군가를 도울 수 있다는 사실이 감사합니다.

<4> 이제는 부지런함이 체질이 되어서, 매일 생산적인 일들을 조금이라도 할 수 있게 해주셔서 감사합니다.

<5> 매일 깨닫고 배우는 것들이 있어서 감사합니다. 수백만 원씩 들여서 강의를 들으러 다니는 사람들도 있는데 저는 비용도 지불하지 않고 매일 깨달음도 얻고 새로운 것도 많이 배울 수 있어서 너무 감사합니다.

<6> 관계에 있어, 인생을 살아가는 데 있어, 정말 중요한 것들을 깨달을 수 있게 해주셔서 감사합니다.

[칭찬]

<1> 오전 공복 유지 성공!

<2> 건강하게 생강청으로 하루 시작

<3> 틈틈이 독서한 것

<4> 부지런하게 할 일을 한 것

<5> 밤에 물넘기하고 걷기운동

<6> 하루 계획을 다 실천한 것

[개인 블로그에 매일 기록 중인 감사 일기와 셀프 칭찬]

인정하는 주체를 나로 바꾸면서, 나 자신뿐 아니라 다른 사람들도 충분히 인정하고 사랑해 주고 싶었다. 그래서 내가 조금이라도 부러움을 느끼는 사람들을 관찰하기 시작했다. 그들이 어떤 노력을 기울이고, 얼만큼 시간을 투자하는지 파악하고 배우면서 그들의 성공을 진심으로 인정할 수 있게 되었다. 또한, 내 잠재의식에 '혼자서만 잘되는 게 아니라 같이 잘되면 그 기쁨이 두 배가 된다'는 생각을 조금씩 흘려 넣으면서, 나뿐만 아니라 많은 사람이 함께 잘되기를 전보다 더 바라게 되었다.

이와 같은 노력을 계속 기울이다 보니, 내 옆에 바짝 붙어있던 열등감이 어느 순간 저 멀리 사라진 것을 느꼈다. 여전히, 큰 실수를 하거나 기울인 노력에 비해 결과가 안 좋을 때 열등감은 어느새 내 근처까

지 와있기도 하다. 하지만 더 이상 예전처럼 그 감정에 지배당하지는 않는다. 그리고 수치심에 휩싸여 나를 미워하거나 시기, 질투 가득한 마음으로 다른 이들을 대하지도 않는다. 이제 열등감은 더 이상 내 인생 경주의 페이스 메이커가 아니다. 혼자서도 충분히 앞으로 달려 나갈 수 있고, 나름 속도 조절도 할 수 있다. 숨이 턱까지 찼을 때 필요한 힘은 다른 누구도 아닌 내 안에서 찾으려고 노력한다. 드디어 제대로 이별하기 시작한 것이다.

회피하는 아이

'회피'는 내 전문 분야였다. 매사에 불안하고 겁이 많았던 나는 특히 다른 사람들과의 갈등을 두려워했다. 엄밀히 말하면, 갈등을 어떻게 풀어나가야 하는지 몰랐다. 내 감정이나 생각을 솔직하게 표현하는 방법도 알지 못했다. 다른 사람들과 크고 작게 다투는 것이 전혀 잘못된 게 아니라는 것도, 내 생각과 감정에 '다름'은 있어도 '틀림'은 없다는 것도 나는 몰랐다. 모르는 것이 많았던 내가 택할 수 있는 유일한 선택지는 '회피'였다. 그래서 나는 다양한 관계 속에서 부지런하게 내 마음을 외면하고, 대화와 갈등을 회피해왔다.

어릴 적에 나는 눈치를 많이 보는 아이였다. 많이 혼나고, 적잖이 맞았다. 내가 얻어맞거나 욕을 먹는 원인을 항상 나에게서 찾았던 나는 셀프 디스도, 자책과 자학도 참 많이 했다. 그러나 이런 내 마음을 성인이 되기 전까지 아무에게도 얘기하지 못했다. 얘기해도 괜찮다는 사실도 얘기하는 방법도 몰랐다. 슬프거나 억울한 감정은 항상 속으로 삭여야 하는 것이었고, 공유해서는 안 되는 것이었다. 그렇게 자라다 보니 겉으로는 언제나 착하고 성격 좋은 사람처럼 보였지만 속은 분노, 그리고 미처 표출하지 못한 감정과 생각으로 들끓었다.

화가 나도 대부분은 참았다. 싫어하는 것을 대놓고 티 내지 못했다. 누군가에게 서운하거나 상처를 받으면 솔직하게 고백하지 못하고 혼자 참고 또 참다가 그 관계를 아예 끊어내기도 했다. 좋아하는 친구가 생기면 동시에 그 친구와 멀어질까 두려워했던 이중적인 마음도 애써 모른척했다. 일부러 차갑게 대하고 뒤에서 후회한 적도 많다. 결국 관계를 오래 유지하지 못하고 멀어지는 게 부지기수였다. 항상 겉으로는 괜찮은 척, 아무렇지 않은 척했지만 사실 괜찮지 않았고 아무렇지 않은 적이 별로 없다.

주변 사람들과 요란한 갈등 없이 평범하게 잘 지냈기 때문에 한 번도 혼자였던 적은 없었지만, 아주 오랫동안 내가 그리는 실제 내 모습은 항상 혼자였다. 내가 나를 드러내고 표현하지 않으니, 세상에 나를 제대로 아는 사람이 거의 없었고, 누구에게도 이해받지 못한다고 생각했다. 그래서 혼자 있는 시간이 가장 편했는지도 모른다. 그러나 나이가 들수록 혼자 있는 시간과 공간에서 내가 느끼는 편안함 만큼 외로움도 커졌다. 그 절정은 모든 사람과 사회적 거리 두기를 했던 코로나 팬데믹 기간이었다. 바이러스를 핑계로 그간 피곤함을 느꼈던 모든 관계를 끊어버렸다.

처음엔 편하고 후련했지만 혼자 보내는 시간이 길어지면서 생각이 많아졌다. 그동안 회피해왔던 30년 동안의 내 인간관계 문제를 돌아보게 된 것이다. 마치 진즉에 상해버린 냉장고 속 음식을 수년 만에 꺼내보는 느낌이었다. 어디서부터 손을 대야 할지 막막했다. 우선 나는 어린 시절부터 성인이 된 지금까지 나를 스쳐 간 모든 사람을 기억나는 대로 떠올려보았다. 내 회피 성향 때문에 잃어버린 친했던 사람들이 수두룩하게 생각났다.

먼저는 중고등학교 시절의 친구 3명이 떠올랐다. A는 초등학교 때 같은 반이었던 인연으로 나름 꽤 오랫동안 친하게 지냈다. 사춘기 시절 흔히 가지고 있는 우울감이나 각자의 마음 상태를 공유하기도 하고 말이 잘 통해 깊은 대화를 자주 했던 친구였다. 그러나 그 친구는 종종 장난스럽게 무시하는 듯한 발언을 했고, 이에 상처를 받은 나는 이유는 얘기하지 못한 채 혼자 참고 참다가 연락을 끊어버렸다. 그러다 생각나면 다시 연락하고 또 서운해지고, 이유는 밝히지 않은 채 멀어지기를 반복. 결국 완전히 끊어져 버렸다. 내가 무엇 때문에 속상했는지 얘기만 잘했어도 갈등을 잘 해결하고, 함께 성장하는 친한 친구로 남지 않았을까 싶어 매우 아쉬웠다.

B는 태어나서 처음으로 내 깊은 속얘기를 모두 털어 놓았던 친구다. 아무 이유 없이, 어떤 조건 없이 사랑한다는 것이 무엇인지 이 친구를 통해 처음 배웠다. 서로 의아할 정도로 내게 잘해주고, 나를 늘 궁금해하고 잘 챙겨줘서 정말 고마웠다. 그런데 처음으로 받아본 호의와 애

정에 당황해서 나는 오히려 그 친구를 더욱 차갑게 대했다. 이런 관심과 사랑이 좋으면서도 어떻게 대해야 할지 몰라 밀어내기만 한 것이다. 생각과 마음이 참 건강하고 사랑이 많은 친구였는데 내 회피 성향으로 더 이상 친구의 연을 이어갈 수 없게 되었다. C도 마찬가지. 내가 정말 좋아했던 친구였는데 사소한 갈등이 생겼을 때조차 이 친구에게 내 마음을 솔직하게 말하기 어려워 결국 만남 자체를 회피해버렸고 화해도 할 수가 없게 되었다.

한때는 정말 친했고 내게 아주 큰 힘이 되어줬던 그 친구들을 떠올리며 생각이 깊어졌다. 어쩌면 친구가 전부일지도 모르는 학창 시절, 내 회피 성향 때문에 나는 더욱더 철저히 고립되었고 그 이후에도 인생의 가장 힘들고 외로웠던 여러 시기를 혼자 버텼다. 모든 관계에 있어서 항상 난 최선을 다했는데 결국 내 인생에 남아있는 사람들은 누구인가. 자조 섞인 걱정과 질문들이 떠올랐다. '내 마음과 생각을 깊이 있게 공유하고 평생 함께할 친구 하나 없이 늙게 되면 어쩌지,' '회피라는 강력한 아이를 옆에 끼고, 결혼이나 할 수 있을까.' 마음속 깊은 곳에서 상한 냄새가 진동했다. 이제는 정말 내 안의 썩은 무언가를 갖다버릴 때라는 걸 본능적으로 직감했다.

그래서 난 또다시 나를 바꾸기로 결심했다. 그리고 무엇이 나를 지속해서 회피하게 하는지, 해결할 방법은 무엇인지 연구하기 시작했다. **도움이 될 만한 책들을 닥치는 대로 읽었다.** 이 과정에서 회피의 가장 큰 원인이 과거 나 자신의 모습 그대로 존재하려 했을 때 겪었던 트라우마에 있다는 것을 알게 되었다. **내 본연의 모습으로는 인정과**

사랑을 받지 못하니 끊임없이 나를 숨기고 감추며, 더 이상적인 모습만을 드러내려 했다는 것을 깨닫게 된 것이다. 예를 들어, 어떤 상황에서도 상처받거나 서운해하지 않고 쿨하게 대처하는 모습, 타인을 이해하고 포용하며 언제나 너그럽게 용서하는 모습. 이런 모습만이 내가 세상에 보여주고 싶은 이상적인 모습이었다. 그리고 그것은 지극히 평범한 인간인 나에게 애초부터 불가능한 미션이었다는 것도 깨달았다. 이러한 '인지'와 '깨달음'은 내 회피 성향을 이해하는데 매우 큰 도움이 되었고, 그 이후에도 계속해서 인정과 사랑을 받지 못했던 여러 경험을 떠올리며 나를 더욱 이해하려 노력했다. 이 과정에서 참 많이도 울었다.

너무도 위로가 필요한 그 순간에 철저히 혼자였기에 별수 없이 내가 나를 위로하기도 했다. **나 자체로도 충분히 존재 가치가 있으며 사랑받을 만한 사람이라고 스스로 계속 말해주었다.** 그렇게도 간절히, 세상으로부터 꼭 듣고 싶은 말들이었다. 진심으로 그것을 믿어서라기보다 계속해서 같은 말들을 되뇌면 세뇌라도 되지 않을까 하는 마음에 반복했던 것 같다. 그런데 신기한 결과가 나타났다. 꾸준히 나에게 말을 걸고 위로하면서, 더 이상 나를 숨기고 다른 사람의 눈에 완벽한 어떤 존재가 되기 위해 몸부림치지 않아도 된다고 생각하기 시작한 거다. 나를 위로하고 사랑하는 말들을 해주는 사람이 없어서 스스로 했을 뿐인데 그것이 '내 무의식에 나를 인정하는 생각들을 새기는' 효과를 불러온 것이다.

후에 깨달은 것은 어차피 이 작업은 반드시 다른 사람이 아닌 내가 해야 했다는 것이다. 내 본연의 모습을 그 누구보다 잘 알고 있는 내가 나를 인정하고 사랑해 주지 않으면 아무 소용이 없는 것이었다. 이렇게 자기 자신을 인정해 주고 사랑하려는 노력은 회피 성향뿐 아니라 다양한 마음 문제를 해결하는 데 가장 필요하고 중요한 작업이지만, 그만큼 가장 어려운 일이기도 하다. 그래서 더욱 진심으로 자신을 인정하고 사랑해 나가기 위해 꾸준히 노력해야 한다.

위 방법들 다음으로 가장 효과적이었던 방법은 바로 '**솔직하게 고백하기**'였다. 이것은 현실 상황에서 겪는 관계 문제를 실질적으로 해결할 수 있는 실천 사항이었다. 나는 내 인생과 그동안의 관계 패턴을 돌아보면서, **솔직하지 못한 것이 가장 큰 장애가 된다**는 것을 깨달았다. 그래서 어렵지만 무조건 솔직하게 마음을 고백하는 연습을 하기 시작했다. 이전까지는 어떤 갈등 상황에서도 내 마음을 그대로 전한 적이 별로 없었다. 또, 어떤 일에 대해 상처받지 않은척하느라 갈등이 근본적으로 해결되지 않은 적도 많았다. 하지만 이때부터는 뒤늦게라도 내 마음을 고백하려 노력했다. '괜찮다고 했지만, 사실은 그때 괜찮지 않았어. 내가 상처받았다고 하면 속 좁아 보이거나 나한테 실망할까 봐 말 못 했어.' 엄청난 시간이나 돈이 들어가는 것도 아닌데 이 문장들을 입 밖으로 꺼내는 게 왜 그렇게 어려웠는지. 하지만 뒤늦게라도 용기를 내어 내 감정과 마음을 솔직하게 고백했을 때 이해 못 해주는 사람은 없었다. 세상에는 나보다 어른인 사람들이 많았다.

사람들에게 솔직하게 내 마음, 감정, 생각을 공유하는 것. 그리고 내

가 작은 것에 서운했고, 기분을 태도로 다 드러내거나 심지어는 아이처럼 토라졌었고, 가끔은 속 좁은 행동을 보였다는 것을 인정하는 것.

이 모든 과정에서 남들보다 많은 노력과 용기가 필요했다. 그런데 신기하게도 이 작업을 반복하면서, 사람들과의 관계 속에서 서운함이나 분노와 같은 감정은 줄어들고 이해심과 포용력은 점점 늘어났다. 사실 더 어렸을 때 경험해야 했는데, 그동안은 내가 내 감정과 마음을 인정하지 않아 다음 스텝으로 넘어가지 못했고 그렇게 세월만 흘렀다는 걸 실감했다. 관계에 있어 '회피'와 '용기'는 정확하게 반비례했다. 상처받은 만큼 자신감과 용기는 줄어들고, 회피하는 마음만 커졌던 것이다. 이제라도 이것을 깨닫게 되어 너무 감사했다. 그리고 사람들은 누구나 이렇게 용기를 내면서 어른이 되어간다는 것을 배웠다.

내 감정이나 상대와의 갈등을 회피하지 않고 직면하기 위해, 더 솔직해지기 위해 노력하면서 내가 얻은 것은 그뿐만이 아니다. 혼자서 상대의 태도나 말투, 행동의 의미에 대해 추측하느라 쓸데없는 시간 낭비를 하지 않게 되었고, 도저히 이해가 안 되면 늦게라도 용기를 내서 물어보았는데, 그러면 대부분은 자신이 실수했다며 사과하거나, 어떻게든 더 쉽게 오해를 풀 수 있었다. 나는 가족, 친구, 동료 등 거의 모든 내 주변 사람들과 점점 더 깊은 관계를 맺게 되었다. 게다가 여기에 추가로 큰 '넘'을 얻었다. 내가 나에게 스스로 했던 인정과 사랑의 말을 이제는 그들로부터 실컷 듣게 된 것이다.

그렇다면 내가 용기를 내서 솔직한 감정을 고백하고, 상대를 배려하기 위해 조심스럽고 나이스하게 말했음에도 불구하고 되려 계속해서 급발진하거나 상황을 악화시키는 사람들은 어떻게 할까. 어찌 보면 내가 가장 걱정하는 상황이었음에도 불구하고 대처하는 법은 오히려 간단했다. 이런 사람들이야말로 내가 인생에서 완전히 끊어내야 하는 인연이라는 것을 깨닫게 된 것이다. 이렇게 더 이상 내 시간과 노력을 투자하고 싶지 않은 사람들은 자연스럽게 멀어졌고, 꼭 지켜내고 싶은 사람들과는 더욱 깊은 우정을 나누게 되었다. 처음으로 내 인간관계에서 안정감을 느꼈고, 오랫동안 편안했다.

회피는 기억도 안 날 정도로 아주 오랫동안 함께 했던 아이였기에 아직도 완전히 떠나보냈다고는 못하겠다. 여전히 나는 갈등 상황에서 가슴이 쿵쾅거리고, 솔직하게 내 마음과 감정을 말해야 할 때 온몸이 떨리고 불안하기도 하다. 누군가는 이런 나를 보며 굳이 회피 성향을 고치고 꼭 솔직해져야만 하냐고 반문할 수도 있겠다. 나도 동의한다. 모든 사람이 반드시 자기 성격을 고치거나 회피 성향을 없애야 한다고 생각하지 않는다. 매 순간 솔직한 것도 불가능하다. 하지만 '회피하는 인간' 그 자체였던 내가 내 생각, 감정, 기분, 태도, 성격 등 모든 것을 받아들이고 인정하게 되면서 나를 더 많이 이해하고 사랑하게 되었다는 것, 사람들과 더 깊은 마음의 교류를 하고 진한 우정을 나누게 된 것, 그리고 인생이 훨씬 편하고 행복해졌다는 것. 이것만으로도 회피와 이별할 용기를 내는 충분한 가치가 있지 않을까.

사랑을 갈구하는 아이

나는 아직도 기억한다. '왜 나는 사랑받지 못할까요?'라고 일기장에 적었던 무수한 날들을. 아직도 내 방구석 어딘가의 먼지 덮인 그 일기장을 발견할 때마다 과거 내 어두웠던 모습에 흠칫 놀라곤 한다. 일기장을 생각에서 잊은 기간, 그리고 표지에 쌓인 먼지만큼이나 나는 그 모습과 많이 멀어졌다. 그러나 인생의 절반이나 나를 '사랑받지 못하는 인간'으로 살아가게 했던 그 슬픈 시간은 지금도 가끔 나를 찾아온다. 사랑을 갈구하는 어린아이의 모습으로.

한때, 세상에서 가장 싫어하는 사람에 대한 질문을 받을 때마다 한껏 성실하게 '나 자신'이라고 대답하곤 했다. 아니, 그것은 나에게 유일한 선택지였다. 나는 아주 어릴 적부터 내가 사랑받지 못하는 사람이라 생각했고 심지어는 모두 나를 미워한다고 생각했다. 그래서 나를 미워하는 이 세상에 굳이 꾸역꾸역 존재하려는 내가 싫었다. 인생이 가시방석 같던 그 시기, 조금이라도 나를 좋아해 주는 사람을 만나면 마치 내 존재 이유를 찾은 것처럼 기뻤다. 그래서 사람에게 기대하고 또 기대한 만큼 상처받으며, '아무도 나를 사랑하지 않는다'는 검증 안 된 사실을 종교처럼 믿었다.

가족들은 모두 살아내기에 바빴다. 가뭄 같은 애정 속 말라비틀어진 내 마음을 알아줄 여력이 없었다. 나는 집에서 자주 온 눈빛과 몸짓을 통해 '사랑받지 못하고 있다'는 사실을 체감했다. 굳이 누가 말해

주지 않아도 느낄 수 있었다. 그래서 가족보다는 친구 관계에 많이 연연했던 것 같다. 대놓고 집착하진 않았지만, 학년마다 나와 제일 친한 친구가 있어야 했고 없으면 마음이 너무 불안했다. 그렇게 만들어놓은 친구가 혹시라도 나를 싫어하게 될까 봐 두려웠다. 티 내진 않았지만, 친구가 싫어하는 것은 하지 않으려 했고 내가 원하는 것보다 그가 원하는 게 늘 우선이었다. 혹시라도 싸우게 되면 혼자가 될까 봐 불안해서 이해가 안 가더라도 먼저 사과하곤 했다. 그리고 나를 싫어하게 될까 봐 깊은 속마음을 얘기하지 못했다. 그래서 난 매년 친한 친구 한 명씩은 꼭 있었음에도 불구하고 마음이 불안했고 늘 겉도는 것 같았다. 아무리 친하더라도 속얘기를 하지 못했다. 아무에게도 내가 진짜 하고 싶은 말을 할 수 없으니 많이 외로웠고 속은 더 곪아갔다.

따스한 사랑을 받을 곳도 기댈 곳도 없다고 생각한 나에게 어느 순간부터 '사랑받는 것'은 곧 '존재하는 이유' 그 자체가 되어버렸다. 그래서 매일 누군가에게 사랑받고 싶다는 생각을 간절하게 했고, 칭찬과 인정, 관심이 곧 사랑이라 생각해 그것에 더욱 집착했다. 돌이켜보면 착한 사람처럼 보이기 위해 노력했던 것도 공부를 열심히 한 것도 모두 나를 위해서가 아니라 인정받고 싶어서였다. 십 대 시절, 나는 말 잘 듣고 열심히 공부하는 아이였다. 지금은 내가 인정(=사랑)받지 못하고 있지만, 좋은 대학에 가면 달라질 거라는 믿음으로 지독하게 공부했다. 그러나 안타깝게도, 원하는 결과를 얻지 못했다. '공부'와 '원하는 대학'에 너무 많은 의미를 부여했던 탓인지 수능이 끝나고 나서도 한참을 방황했고, 나를 더 미워했다.

그렇게 혼란한 상태로 대학생이 된 나는 수험생 때보다 늘어난 자유 시간에 끊임없이 나에 대해 생각했다. 나의 과거와 현재, 미래를 모두 떠올렸다. '사랑'만이 세상을 살아가는 이유라고 믿으면서도, 평생 사랑받지 못한다고 생각했던 나는 내 존재 이유에 늘 의문을 가졌었다. 그래서 십 대 때부터 삶을 끝내고 싶다는 생각을 셀 수 없이 많이 했고, 그 시절은 늘 불행하게 느껴졌다. 그 불행은 이십 대가 되었다고 해서 바로 나를 떠나가지 않았다. 사랑을 갈구하는 마음으로 사람에게 기대하고 그만큼 실망하며, 결국 그런 나를 누구보다 미워하게 되는 이 도돌이표 노래는 끝날 줄 몰랐다. 그런 이유로 내 이십 대는, 아니 남은 인생은 정말 달라지길 바랐고 행복한 노래로 매듭지어지길 바랐다. 그러기 위해서는 가장 먼저 나를 사랑해야 한다는 걸 각종 미디어도 내 깊은 내면의 소리도 끊임없이 말해 주었다. 하지만 한 번도 사랑해 본 적 없던 나 자신을 갑자기 사랑하게 되는 건 다시 태어나지 않는 이상 불가능해 보였다.

그래서 죽었다고 생각하고 1년 휴학을 했다. 내가 다른 사람이 되면, 아예 새로워지면 조금이라도 나를 사랑해 줄 수 있지 않을까 하는 기대와 절박함이었다. 그리고 새로운 경험이다 싶으면 닥치는 대로 시도했다. 1년 동안 평소 성격 같으면 절대 하지 않았을 알바도 했고, 책도 200권 넘게 읽었다. 온갖 영화나 공연을 보고, 일부러 낯선 공간들만 골라 가보며, 새로운 사람들을 많이 만나기 위해 노력했다. 그렇게 몸부림을 치면서 나는 전보다 내면이 더 밝고 자신감 있는 사람으로 아주 느리게, 조금씩 변해갔다.

오랜 시간 동안 곪고 문드러져 버린 속이 1년 만에 갑자기 깨끗해지고 상처가 완전히 회복될 수는 없었다. 내가 조금 달라졌다고 해서 나를 바로 사랑할 수 있는 것도 아니었다. 하지만 나는 콩알만큼 싹튼 가능성을 보고 이때를 변화의 기점으로 삼아 계속 노력했다. 나의 20대는 나를 사랑하기 위한 몸부림의 여정이었다. 그 과정에서 수십번, 수백번 무너지기도 했지만, 일기장 속 과거의 모습을 생각하면 정신이 번쩍 차려졌다. 감정이 깊은 바닥에 닿을 때마다 기를 쓰고 발을 굴러 올라왔다. 10년이라는 긴 시간 동안 내가 어떤 노력을 기울였고 어떻게 변화됐는지 다 적을 수는 없어서 여기서는 가장 크게 도움이 되었던 두 가지 방법만 풀어내려 한다.

첫 번째는 '**심리 공부**'였다. 나를 사랑하려면 제일 먼저 나를 이해해야 했다. 어린 시절 입었던 상처를 극복하는데 조금이라도 도움이 될까 싶어 아동학을 복수전공 하기도 했다. 나는 아직도 어린아이같이 사랑을 갈망하고 있었기 때문이다. 그런 나를 공부하면서 많이 이해하고 용서하게 되었다. 내가 어떤 성격과 행동 패턴을 왜 갖게 되었는지 모르면 '이유 없이' 나를 미워하게 된다. 그런 성격을 갖고 그런 행동을 하는 내가 이해 안 가니, '내 존재 자체'가 문제인 것처럼 느껴지기 때문이다. 그런데 **내 성격과 행동 패턴의 원인을 전문가들의 이론, 오랜 연구 결과와 통계에 기반해 분석하게 되면 나에 대해 객관적으로 돌아볼 수 있고 그만큼 이해도 높아진다.** 나를 포함해 누군가를 탓하게 되는 것도 줄어든다. 형체 없이 크기만 한 불확실하고 주관적인 미움은 '객관화'와 '구체화'로만 줄어들 수 있기 때문이다.

두 번째로 '**내가 받고 싶은 사랑을 남들에게 주는 것**'도 도움이 되었다. 어디선가 읽었던 '당신이 받고 싶은 대우를 다른 사람에게 그대로 하라'는 글이 뇌에 꽂혔던 적이 있었다. 그래서 내가 어떤 사랑을 받고 싶은지 어떤 친구나 연인을 필요로 하는지 구구절절 자세히 적어보았다. 그 내용은 이러했다.

-언제나 진심으로 응원하고 지지해 주는 사람,

내가 진짜 잘되기를 바라는 사람

-기쁘거나 슬플 때 진심으로 함께 기뻐하고 슬퍼해 줄 수 있는 사람

-절대 무시하는 말투나 깔보는 표현을 쓰지 않는 사람

-힘들 때는 바로 달려와 줄 수 있는 사람

-'미안해, 고마워, 사랑해' 등의 표현을 잘하는 사람

이런 사람이 되는데 큰돈이나 엄청난 에너지가 들어가는 것도 아니었다. 나는 이때부터 내가 갖고 싶은 친구/연인/가족의 모습이 되기 위해 노력했다. 중요한 것은 상대에게 아무 대가도 바라지 않는 것이었다. 세상에는 '눈에는 눈, 이에는 이'라는 생각으로 무조건 받은 만큼만 되돌려주는 것이 합리적이라고 생각하는 사람들도 많다. 하지만 나는 바라는 것 없이 위에 내가 묘사한 사람처럼 되려고 노력하면 반드시 그만큼 돌아올 거라 믿었다. 그래서 이때부터는 **새로운 사람들을 만나면 먼저 다가가고 먼저 경계를 풀려 했다. 아무 조건 없이 상대가 진심으로 잘되길 바라고 도움이 되기 위해 노력했다.** 예전에는 사람에게 기대하고 상처받는 게 다반사였는데 기대하지 않으니 상처받을 일이 줄었고, 조건 없이 사랑하고 잘해주려 하니 사람들도 내 진심을 알

아주고 나를 사랑해 주었다. 그렇게 30대가 된 지금, 감사하게도 나와 내가 사랑하는 사람들 대부분 내가 적어놓은 모습과 많이 닮아있다.

아직도 나는 사랑을 갈망한다. 하지만 예전과 한가지 달라진 점이 있다면 **이제는 사랑을 바라는 만큼 먼저 주는 사람이 되었다는 것이 다.** 바라는 만큼 먼저 주면 신기한 현상이 발생한다. 내가 받아야만 만 족이 올 것 같은데, 주는 과정에서 이미 만족이 온다. 이제는 사랑을 받을 때보다 내가 사랑을 줄 때 더 기쁘고 행복하다. 그런데 신기하게 도 이렇게 할 때, 미처 생각지 못했던 사랑까지 더 받게 된다. 그래서 이제는 사랑을 갈망하기만 하지 않는다. 보다 '주는' 사람이 되고 싶 다. 그렇게 할 때 더 많은 사랑을 넘치게 받게 되는 비밀을 이제는 알 기 때문이다.

사랑을 갈구하고 나를 가장 미워하던 어린아이가, 자신을 이해하고 사랑하며 남들에게 사랑을 퍼주는 사람이 되기까지 십여 년 정도가 걸 렸다. 십 년이면 강산도 변한다더니, 나는 십 년 동안 나라는 산을 깎 고 또 깎았나 보다. 여전히 공사 중인 부분이 있긴 하지만 나름 길과 터널도 생기고 봄에는 예쁜 꽃도 핀다. 좋은 공기를 마시고 힘들 땐 잠 시 쉬어가려고 나를 찾아오는 사람들도 많아졌다. 정말 큰 변화다. 내 가 하루 빨리 완전해지기를 바라진 않는다. 다만 앞으로도 부지런하 게, 그리고 즐겁게 나를 다듬어가고 싶다. 나뿐만 아니라 '사람'에 관 한 공부를 놓지 않으면서, 내가 필요로 하는 사람의 모습이 되기 위해 노력하면서. 이렇게 또 다른 십 년이 지난 후에는 어떤 산이 되어있을 지 궁금하고 기대된다.

건강하게 이별하고 있습니다

영화 〈써니〉에는 주인공 임나미가 어린 시절의 나미를 만나 꼭 안아주는 장면이 있다. 내가 가장 좋아하는 장면이다. 나는 요즘 나미처럼 종종 어린 시절의 나를 만난다. 심리 상담을 받으면서도 만나고, 가족이나 친한 친구들과 깊은 대화를 하면서도 만난다. 이 글을 쓰면서도 여러 번 만났다. 그때마다 가슴이 먹먹해지거나 눈물이 나기도 했다. 어린 시절의 내가 겪은 아픔에 대한 안쓰러움이다. 하지만 이 감정이 마냥 괴롭기만 하지는 않다. 내가 겪었던 모든 일들과 한 번이라도 나를 스쳐 갔던 감정들 모두 다 내가 사랑하는 '나'의 일부이기 때문이다. 이제는 인정하고 받아들이고 이해한다. 그래서 나의 아이들, 곧 열등감, 회피, 사랑을 갈구하는 마음 모두 미워하지 않는다. 그 아이들과 함께 해온 나 자신은 계속해서 알아주고 사랑하되, 그들과는 서서히 이별하고 싶을 뿐이다.

내 팔꿈치에는 초등학생 때 책상 가방걸이에 찔린 흉터가 아직 남아 있다. 그때는 너무 아프고 싱그러워서 쳐다보는 것만으로도 괴로웠는데, 평생 사라지지 않는 흉터로 남았음에도 불구하고 현재의 나에게 어떤 영향도 끼치지 않는다. 만질 때마다 아프거나 볼 때마다 징그럽고 괴로운 것도 아니다. 가끔 이 흉터를 보면서 과거를 회상할 뿐이다.

'음, 그때 그랬었지.' 하고 덤덤하게 생각하는 정도. 그리고 지금 이 흉터를 보면서 내 아이들을 떠올린다. 어쩌면 이 흉터처럼 평생 사라지지 않고 계속해서 남아있는 건 아닐까. 내 바람과는 달리 어쩌면 '완전한 헤어짐'이라는 건 애초에 불가능했던 게 아닐까. 만약 '처음부터 없었던 것처럼' 아예 사라지는 것은 불가능한 거라면, 이 흉터처럼 내 남은 인생에 어떤 부정적인 영향도 끼치지 않고 그저 과거를 회상시키는 정도로만 남기는 것도 괜찮지 않을까. '음, 그때 그랬었지' 하고 덤덤하게 되돌아볼 수 있도록 말이다.

내가 아이들과 이별하는 과정에서 얻은 것 하나 없이 괴롭기만 했던 것은 아니다. 어느 순간부터 나는, 나처럼 아이들과 동행하고 있는 어른들을 더 잘 보게 되었다. 본인의 잘못이나 실수가 드러나면 불같이 화를 내거나 아예 모른척하는 사람들, 갈등을 회피하고 사과할 줄 모르는 사람들, 혹은 끊임없는 자기방어와 이해할 수 없는 언행을 보이는 사람들. 예전 같으면 그냥 기분 나빠하고 상처만 받았을 그들의 행동과 태도에서 이제는 그들과 동행하는 아이들의 모습을 더 발견하게 된다. 그러면 화가 나거나 서운함에 휩싸여있기보단 그 사람들을 이해하려 조금씩 노력하게 된다. 그리고 세상엔 아직 참 많은 '어른아이'가 있다는 것을 실감한다.

그러면서 새로운 목표도 갖게 되었다. 내가 이 아이들과 이별하는 과정에서 치유 받고 성장하여 이제는 웬만한 눈보라에도 뿌리째 뽑히지는 않게 되었듯, 다른 사람들도 이 아이들의 존재를 발견하도록 도와주고 이별의 과정도 함께 해주는 것. 앞으로는 내 경험을 토대로 더 많은 사람의 상처와 아픔을 치유하고 싶다. 내가 받은 위로와 용기를 그들에게도 전하고 싶다. 그 작은 첫걸음으로, 오늘 누군가 내 이야기를 읽고 〈써니〉의 임나미처럼 어린 시절의 자신을 꼭 안아주는 하루를 보낼 수 있기를 바란다.

기억을 지워주는 병원

이화영

이화영   공상을 좋아하는 반도체 연구원.

기억을 저장하는 메모리 소자를 연구하다

사람들의 기억까지 파고들게 된다.

"우리 기억도 이렇게 쉽게 지울 수 있다면"

instagram: @ hwa.0_2

기억 제거 전문 병원은 몇 년간 폭발적으로 증가하더니, 강남역 2번 출구 앞을 빼곡히 메웠다. 우리는 이곳을 일명 '기억 거리'라고 부른다. 그도 그럴 것이, 아픈 마음을 치료하는 데에 이보다 좋은 방법은 없을 것이다.

　기억 제거가 꽤 흔한 일이 되어버린 후, 전문가들은 예전 대비 작은 일로도 사람들이 기억을 지우려고 한다는 우려의 목소리를 내고 있다. 하지만 각자의 사연에 담긴 슬픔의 깊이는 그 누구도 판단할 수 없다. 사람들은 쉽게 기억을 지울 수 있음에도 고통스러운 기억을 안고 슬픔을 견디는 것을 바보 같은 짓이라고 말한다. 적어도 기억을 지우고자 하는 사람들은 그 돈을 지불할 만큼 아픈 기억을 가지고 있는 것이고, 그것을 제거하고 앞으로 나아가는 것은 현명한 방법일지 모른다.

　그들이 지우려고 하는 기억이라는 홀로그램은 수많은 빛이 서로 간섭하며 영향을 준 결과로, 보는 각도에 따라 그 형태가 변한다. 어떤 이는 소중한 기억을 잊지 않으려고 애를 써도 그 의지와 관계없이 그 기억을 잃으며, 남은 이는 함께 만든 그 기억을 혼자 담고 살아간다. 어떤 이는 힘든 기억을 지우고 살아가지만, 다른 이는 죽을 만큼 고통스러운 기억도 잊지 못하고 가슴에 묻는다. 또한, 우리는 꼭 기억되고 싶던 누군가에게 잊힐 수 있으며, 반대로 잊히고 싶은 사람의 기억 속에 계속 남게 될지도 모른다. 이 모든 기억은 같은 사건에 대한 것일지라도 사람마다 다르다. 이렇게 각양각색의 수많은 기억이 오늘도 이 거리를 가득 채운다.

여정의 기억

1

병원에 들어서자마자, 나와 비슷한 또래의 의사가 금방 수술이 끝난 듯 라텍스 장갑을 끼고 서있는 모습이 보인다. 그는 180cm 정도의 훤칠한 키에 호감형 인상이다. 처음 보는 그가 이상하게 낯설지 않다. 아무리 떠올려도 기억에 없지만 너무 익숙한 그의 모습에 찜찜함이 사라지지 않는다. 그는 알 수 없는 액체로 얼룩덜룩 물이 든 라텍스 장갑을 황급히 벗었고, 나를 상담실로 안내했다. 1명의 의사가 진료하는 병원이라 긴 대기를 했다는 짜증 섞인 블로그의 후기들과는 다르게, 진료가 신속하게 이루어졌다. 그는 흰색 가운을 걸쳐 입으며 의자에 앉았고, 짧게 깎은 손톱으로 입술을 뜯으며 잠시 망설이는 듯하더니 수술을 위한 몇 가지 질문을 던진다. 첫 질문은 뻔하게도 어떤 기억을 지우려고 하는지였다.

2

영정 사진 속 아빠는 어색한 표정으로 웃고 있었다. 사진만 봐도 알 수 있듯 그는 생전에도 감정 표현에 인색한 사람이었다. 그는 딸이었던 나에게도 살갑지 않았다. 내가 떨어진 성적으로 힘들어할 때도 위로의 말 한마디 해주는 적이 없었으며, 대학에 합격했을 때도 칭찬은 커녕 "아직 인생에는 더 중요한 일이 많다.", "자만하지 말아라." 등 듣기 싫은 소리만 늘어놓았다. 하지만 그런 그의 말과는 다르게, 주변에 얼마나 지겹도록 내 자랑을 했는지 그날 밤 내내 친척들에게서 걸려 오는 축하 전화를 받아야 했다. 개중에는 몇 다리를 건넜는지도 모르는 처음 듣는 이름의 먼 친척도 더러 있었다. 말하다 보니 그는 감정 표현에 인색했던 것이 아니라 서툴렀던 것이 맞는 것 같다.

그는 평생 홀로 자신을 키웠던 할머니의 장례식에서도 아무렇지 않은 듯 손님들을 맞이했다. 갑작스러운 할머니의 죽음에도 놀란 기색하나 없던 그를 보면 '감정이 없나?' 하는 생각이 들 정도였다. 울음이 터져버린 엄마를 비롯한 친척들에게 태연한 표정으로 '괜찮다'는 말을 건네기도 하였으며, 오랜만에 얼굴을 보는 친구들과 웃으며 안부의 인사를 나누기도 했다. 처음 경험하는 장례식은 애통하고 침울할 것이라는 예상과 달리 그리 무거운 분위기는 아니었다.

그날, 나는 빈소 옆 작은 방에 누워 한참을 뒤척인 끝에도 잠을 이루지 못했다. 새벽 3시쯤이었을까, 모두가 잠에 들었을 늦은 시간 방문 너머로 정체불명의 소리가 들려왔다. 조심스레 방문을 열었다. 아빠가 빈소에 쪼그려 앉아 고개를 푹 숙인 채 울고 있었다. 그는 소리를 내지 않으려 입을 꾹 다물고 숨이 넘어갈 듯 펑펑 울었다. 옷소매로 눈을 꾹꾹 눌러 비볐지만, 그의 눈에서는 그것으로 도저히 막아낼 수 없을 만큼 많은 양의 눈물이 쏟아져 내렸다. 그는 할머니가 가시는 길이 어두워지지는 않을까 노심초사하며 밤새 향불이 꺼지지 않도록 빈소를 지켰다. 항상 듬직했던 그의 뒷모습이 처음으로 작게 느껴졌다. 그런 그의 등 뒤를 조용히 지킬 뿐, 나는 어떠한 위로조차 하지 못했다. 남들이 그렇듯 그도 괜찮지 않았다. 하지만, 우리 앞에서는 편히 울지도, 힘들다는 말 한마디도 못 하는 그였다.

그는 날마다 아침 7시에 일을 나가 밤 9시가 넘어서야 집에 들어오면서도 항상 웃으며 다녀왔다는 인사를 건넸다. 주말도 예외는 아니었다. 늦은 시간 귀가 후 나와는 겨우 몇 마디 안부 인사를 나누는 것이 다였고, 그마저도 내가 중학교에 들어간 후로는 더 드문드문해졌다. 그가 내리쬐는 햇빛 아래서 일하는 동안, 나는 배우고 싶던 피아노를 배웠고, 영어 학원에 수학 과외도 받았다. 유행하는 브랜드의 패딩도 누구보다 먼저 샀으며, 핸드폰도 최신형으로 샀다. 내가 가진 모든 것이 그의 희생 덕이었음에도 나는 그것을 당연시했다. 그는 나를 위해 고된 일을 마다하면서도 불평 한번 없었고, 오히려 내가 부족한 것이 없을지 걱정했다. 어느새 그의 머리카락은 새하얗게 바랬고, 까맣게 그을린 얼굴 위를 검버섯이 뒤덮었다. 그는 치매에 위암까지 진단받았다. 그런 그의 모습은 속 재료를 넘치게 담아 옆구리가 다 터져버린 김밥 같았다.

염습을 끝낸 아빠의 입과 코는 솜뭉치로 막혀 있었고, 자기 몸에 꼭 맞는 관 속에 손을 모으고 굳은 채 누워있었다. 평생을 본인의 감정을 숨기느라 경직되어 있던 그의 얼굴은 더 이상 아무 힘이 없었고, 지켜보는 것만으로도 냉기가 느껴졌다.

3

아빠가 죽고 5개월이 지난 무더운 여름, 엄마가 죽었다. 사인은 폭염으로 인한 온열 질환. 갑작스러운 죽음이었다. 병원에서 걸려 온 전화를 받고 곧장 회사에서 엄마가 계시던 대구로 향했지만 도착했을 때 이미 엄마의 심장은 뜀박질을 멈춘 상태였다. 잇따른 흉사에 눈물도 나지 않았다.

그날, 몇 년 만에 찾아온 폭염으로 아침부터 재난 경보음이 요란하게 울렸다. 얼토당토않겠지만 변명을 먼저 하자면, 낙하산이라는 소문이 자자하던 입사 한지 6개월 된 사원에게 프로젝트를 빼앗기고, 승진까지 누락되었다는 결과를 받고 난 직후였다. 엄마에게서 깍두기를 담갔다고 전화가 왔다. 터질 곳을 못 찾고 길을 잃은 울분은 그만 잘못된 방향을 향해 터지고야 말았다.

"아니, 엄마. 이런 것 좀 쓸데없이 하지 마. 먹지도 않을 거야."

여기까지만 했어도 내 속이 이보다는 좀 나았을까? 나는 엄마의 심장에 박힌 못에 망치질을 하기 시작했다.

"난 이런 것 필요 없어. 어떤 애는 부모 잘 만나서 회사에 들어오자마자 승진하고, 나는 몇 년을 죽어라 일했는데도 아무것도 이룬 게 없어. 나도 그렇게 태어났으면 좋았을 텐데."

타이밍이 좋지 않았다는 것으로는 포장이 되지 않을 만큼 독한 말이었다는 것을 안다. 하지만 조금이나마 죄책감을 덜고자 말을 덧붙였던 것이다. 전화 뒤편으로 들려오는 엄마의 한숨 소리에는 서운함이 가득 담겨있었다. 그 가시 돋은 말이 엄마에게 건네는 마지막 말이 될 줄은 몰랐다.

나는 대학에 합격하며 처음으로 엄마 곁을 떠나게 되었다. 그는 걱정이 많았다. 매일 같이 "여정아, 밥은 잘 챙겨 먹었어? 뭐 먹었어?" 하며 전화하셨다. 본인 밥은 제대로 챙겨 먹지 않으면서 내가 라면으로 밥을 때우거나 조금이나도 부실하게 먹었다고 하면 30분이 넘는 잔소리를 들어야 했다. 그는 혼자 있을 나를 위해 한 달에 한 번은 꼭 대구에서 서울로 200km가 넘는 먼 길을 올라왔다. 그때마다 항상 그의 양손에는 깍두기와 멸치볶음, 깻잎 등 반찬이 가득 들려 있었다. 그

덕에 대학 시절 내내 혼자 살면서도 정성이 가득 담긴 진수성찬의 집밥을 챙겨 먹을 수 있었다.

장례를 마치고 집에 돌아오니, 식탁 위에 커다란 반찬통이 놓여있다. 그 속에는 다 먹지도 못할 양의 깍두기가 꾹꾹 눌러 담겨 있다. 엄마는 그날 나에게 반찬을 전하려 폭염에도 무거운 반찬통을 들고 대구에서 서울까지 다녀갔던 것이다. 그제야 눌러 담았던 설움이 터지고야 말았다. 평생 자신보다 나를 먼저 생각했던 그들을 죽음까지 내몰았던 것은 나였다. 그들은 나를 속에 품고 감싸던 껍질이었다. 나를 대신하여 쓰러지고 떨어지고 깎이고를 반복했고, 결국 깨져버렸다. 간신히 부여잡고 있던 정신이 무너져 내린다. 베푼 사랑을 받기만 한 나는 마지막까지 뭐 하나 준 것이 없었다. 하지만 두 번 다시 볼 수 없는 그들 뒤로 한 발짝 늦게 도착한 후회는 아무런 힘이 없다. 그들의 희생이 컸던 만큼 그 결과는 내가 감당하기에 너무 무겁고 또 무섭다.

4

내가 수술하려는 이유를 들으며 그는 입을 꾹 깨물어 닫고 고개만 끄덕였다. 진료 기록지에 알 수 없는 영어 단어 몇 글자만을 끄적거릴 뿐이었다. 그의 입장에서는 별것 아닌 일로 보이는 것 같았다. 확실히 특별한 사연은 아니다. 부모님을 잃는 일은 누구나 겪을 수 있는 일이고, 그 일로 수술까지 받으려는 내가 한심해 보일지도 모른다. 하지만 나는 무너진 세상 속 혼자 남아 길을 헤매는 미아가 되었고, 도저히 나아갈 길이 보이지 않는다.

그의 표정은 첫인상과는 달리 차갑게 느껴질 정도로 냉정했다. 그는 끄덕이던 고개를 멈추고 눈썹을 찌푸리며 3분가량을 아무 말 없이 생각에 잠겼다. 적막을 유일하게 저항하며 뱅뱅 돌아가던 펜이 멈추더니, 그는 서랍을 열어 '데미안'을 꺼내 보였다. 그는 책갈피가 꽂힌 페이지를 펼쳤다. 찢어진 종이를 테이프로 다시 붙인 흔적이 보였고, 그는 너덜너덜 붙어 있는 그 페이지에 적힌 글을 읽기 시작했다.

자신의 꿈을 찾아내야 해요. 그러면 그 길이 쉬워지지요. 그러나 행복이 지속되는 꿈은 없어요.

"저는 이 구절만을 보고 더 이상 책의 뒷부분을 읽고 싶지 않았어요. 이 페이지를 찢어 버리기도 했죠. 방황하는 저에게는 절망적으로 느껴졌거든요."
어느 꿈이든 새 꿈으로 교체되지요. 그러니 어느 꿈에도 집착하면 안 돼요.

"다음 페이지에 이어지는 구절이에요. 그 구절로 인해 멈추어 방황하던 제가 한 걸음씩 나아갈 수 있었어요. 어려운 상황은 언제든지 닥칠 수 있어요. 때로 좌절도 하겠죠. 갑작스레 덮친 힘든 상황 속에서 보기 힘들겠지만, 소중한 것이 꼭 남아 있을 거예요. 여정 씨에게 무엇이 남아 있는지도 봐주세요."

그는 더 이상 환자를 대하는 냉정한 말투가 아닌 오랜 친구를 기억하는 따뜻한 말투로 말했다.

"여정 씨의 기억은 저희 병원에서 만든 약물로 지울 수 있는 것이 아니에요. 뭐, 다른 병원 가보셔도 마찬가지 일 겁니다. 많이 찾아보고 오셨겠지만, 이 분야에서는 최고라고 자신할 수 있거든요. 아, 물론 약물의 농도를 높이거나 하는 방법을 생각할 수 있겠지만 기억의 일부가 아니고 전체가 사라질 수도 있고요. 그래서 이 수술은 할 수 없습니다."

그는 맞추고 있던 내 눈을 슬며시 피하며 말했다. 구구절절 이상한 변명을 갖다 붙이는 그의 말에 나는 단번에 거짓임을 알아챘다. 하지만 이상하게도 따스한 온기가 묻어 있는 그의 거짓말에 나도 모르게 미소가 지어졌다.

"기억을 지우는 것을 되돌릴 수 없어요. 그 속에는 어쩌면 여정 씨가 놓치고 있던 선물이 있을지 몰라요."

내 웃음에 화답하듯 의사도 웃으며 말했다. 병원을 들어섰을 때의 굳은 결심과는 달리 더 이상 기억을 지우고 싶지 않았다.

아빠의 기억

1

 나는 곧 죽는다. 기억은 잘 나지 않지만, 사막의 모래를 퍼온 듯 푸석하고 건조한 피부와 크고 거친 숨소리로 내가 살아온 기간 정도는 가늠할 수 있다. 세월과 함께 흘러 늙은 몸과 달리 세월에 휩쓸려 날아가 버린 기억은 내 이름 석 자만을 간신히 부여잡고 있다. 회색 벽지의 병실과 대비되는 붉은 스웨터를 입고, 내 오른팔에 꽂힌 링거 바늘을 바라보고 있는 이 사람조차 기억이 나지 않는다. 그는 내 오른손을 꼭 잡는다. 그의 투박한 두 손에서 느껴지는 익숙함은 혈관을 통해 차갑게 흐르는 링거액마저 따뜻하게 녹여준다. 그의 온갖 근심을 짊어진 듯 무거운 표정과 달리 내 몸은 점점 가벼워진다. 내가 살아온 날보다 어쩌면 더 긴 여행이 될지도 모르는 길을 떠날 준비를 마친 것 같다. 적막한 병실을 홀로 채우던 조그마한 TV의 야구 중계 소리가 점점 희미해지고, 나의 모든 추억과 감정을 담은 '삐이'하는 높고 단조로운 선율이 흘러나온다.

2

아내는 무식하고 가진 것 없이 자존심만 강하던 내 옆에 있어 준 유일한 사람이었다. 아버지는 내가 태어나기 전 사진 한 장도 남기지 않고 세상을 떠나셨고, 어머니 홀로 나를 키우셨다. 얼굴도 모르는 아버지는 꿈속에서조차 만날 수 없었다. 국민학교, 아니 그보다 더 어린 시절부터 좁은 시골 동네에서 내가 아버지 없는 아이라는 것은 모두가 아는 사실이었다. 친구들은 '아빠도 없는 놈'이라고 나를 우습게 봤고, 어른들은 나를 안쓰럽게 봤다. 그들의 눈빛은 조롱과 연민으로 서로 달랐지만 그 속은 모두 차갑고 날이 서 있었다.

국민학교에 입학한 날, 담임 선생님은 교실 뒤 게시판을 장식하기 위해 가족 그림을 그려오라는 숙제를 내주셨다. 나는 커다란 이층집과 함께 어머니와 나, 그리고 아버지의 모습을 그려 냈다. 게시판 한 가운데 걸린 내 그림을 본 옆집 태석이 녀석은 "아빠 얼굴도 모르는데 어떻게 그렸냐?" 하며 비아냥거렸다. 화가 치밀어 올랐던 나는 참지 못하고 녀석의 광대에 주먹을 날렸다. 그 녀석의 하얀 얼굴의 절반을 덮고 있던 얇은 검정 테의 안경은 교실 바닥에 내팽개쳐졌다. 두껍게 압축된 안경알 뒤에 감춰져 있던 녀석의 커다란 눈이 드러났고 그와 동시에 설움이 가득 담긴 눈물방울이 그것을 뒤덮었다. 그는 사물함에 부딪혀 주저앉아 나를 노려보았다. 하지만 그의 악에 받친 울음소리도, 분노가 가득 찬 시선도 가볍게 던진 그의 한마디보다 따갑지는 않았다. 그 말 한마디는 내 귓속 깊이 꽂혀 학창 시절 내내 나를 괴롭혔고, 그림 속 가족들에게 둘러싸여 웃고 있는 나와 달리 내 옆에는 서주는 사람은 아무도 없었다.

나는 고등학교를 채 마치지 못하고, 토목 현장에서 포크레인 운전하는 일을 시작했다. 10톤이 넘는 트랙터가 바위를 밀어내고, 쇄석기가 원석을 부수는 시끄러운 소리에 지나가던 사람들은 귀를 틀어막았다. 하지만 나는 정신이 혼미해질 듯 귀를 가득 채우는 그 소리가 불쾌하지 않았고, 오히려 시원하게 느껴졌다. 철재가 떨어지는 공사장 소리로 시작되어 가득 찬 소주잔을 부딪치는 소리로 마무리되던 똑같은 하루를 몇 번이나 반복했을까? 지겨워지기 시작할 때쯤 아내를 처음 만났다. 그는 일을 마치고 늘 가던 식당에 새로 일하러 온 종업원이었다. 아내는 식당 일이 처음인 듯 서툰 손길로 커다란 쟁반에 담긴 10개가 넘는 밑반찬을 테이블에 하나씩 느릿느릿 내려놓았다. 배고픈 동료들의 눈동자는 모두 그의 손을 따라 움직였다. 그도 그것을 눈치챘는지 멋쩍은 웃음을 지었다. 그가 웃는 모습을 빤히 쳐다보다 눈이 마주친 나는 눈동자를 재빨리 내 앞의 밥공기로 옮기기도 했다.

그의 서투름이 없어질 무렵, 낯이 꽤 익숙해진 우리는 가벼운 인사를 나누는 사이가 되었다. 한 날은 식사를 마친 후 담배를 태우고 있는데 일을 마치고 집으로 향하던 그와 마주쳤다. 집 방향이 같았던 우리는 얘기를 나누며 함께 귀가했고, 아내는 쑥스러운 듯 미소를 지으며 자신의 꿈 이야기를 꺼내었다. 싫어하는 것을 피해 달아나듯 걸어 온 나와는 반대로 좋아하는 것을 위해 달려 나가는 그의 모습이 멋있었다. 한껏 상기된 얼굴의 그는 누구보다 밝게 빛났다. 깜깜했던 나까지 환하게 비출 만큼. 그날을 계기로 우리는 빠르게 가까워졌다. 일을 마친 후, 나는 식당에서 밥을 먹고, 그가 퇴근할 때까지 기다렸다. 그와 함께 귀가하는 길은 설레는 일상이 되었고, 그렇게 우리는 결혼까지 하게 되었다.

꿈만 같이 지속되던 일상에 찬물을 끼얹은 것은 바로 나였다. 현장에서 같이 일하던 친구 놈이 토목 장비 대여 사업 준비를 같이 해보자는 말에, 아내에게 말도 없이 우리집을 담보로 빚보증을 섰다. 그놈은 우리집을 담보로 1억이 넘는 돈을 빌렸다. 아내에게 더 나은 남편이 되겠다는 생각으로 들떠 있던 나의 마음은 머지않아 지하 끝까지 추락했다. 친구 놈은 바로 다음 날부터 연락이 되지 않았다. 결국 나는 그동안 벌었던 돈을 모두 잃고, 파산 신청을 해야 했다. 내 잘못된 판단으로 돈이 날아간 것이 분명했지만 기어코 아내에게 말하지는 못했다. 몇 날 며칠을 집에 들어가지 못하고 밖에서 뜬눈으로 밤을 보냈다. 그렇게 일주일쯤 흘렀을 때, 아내가 내 일터로 찾아왔다. 담보로 잡힌 12평 남짓의 집 구석구석 빨산낙시가 물었고, 쫓겨나는 마음으로 나왔을 아내는 화난 기색이 전혀 없었다. 오히려 나의 꼬질꼬질한 꼴이 우습다며 웃었고, 목욕탕에 다녀오라며 4,000원을 쥐여 주었다. 전 재산을 날린 일도 아내와 함께라면 아무것도 아니었다.

일 년 뒤, 아내를 쏙 빼닮은 딸이 태어났다.

3

나는 남편도 그러했지만, 아빠는 더욱 서툴렀다. 아버지가 없었던 나는 아빠가 무엇인지조차 잘 몰랐다. 그저 딸이 원하는 것만은 부족함 없이 다 해주고 싶었다. 매일 이른 시간 나가 밤까지 일하고도 집에 들어와 딸과 아내를 보면 행복했다. 가족과 함께하는 시간이 짧았던 만큼 소중했다. 퇴근길에는 항상 딸이 좋아하던 아이스크림이나 붕어빵을 샀다. 양손 가득 들린 간식들이 내 발걸음을 한결 가볍게 했다. 아내는 밤에 먹으면 좋지 않다며 사 오지 말라고 했지만, 간식을 기다릴 딸을 생각하면 그런 아내의 말은 충분한 이유가 될 수 없었다. 그것이 딸에게 할 수 있는 나의 유일한 사랑한다는 표현이기도 했다. 대문을 열 때부터 딸은 항상 기대에 찬 표정으로 뛰어나와 환하게 웃었다. 이렇게 딸과 한마디라도 더 할 수 있었고, 신난 딸을 보면 종일 일한 피로가 단번에 녹았다.

딸은 사춘기에 접어들고 퇴근하는 나를 더 이상 기다리지 않았다. 공부나 친구 관계 등 고민도 많고 바빴을 것이다. 딸이 하루를 어떻게 보냈는지, 힘든 일은 없었는지, 또 재미있는 일은 없었는지 궁금했지만, 닫힌 방문을 먼저 열 용기는 없었다. 먼저 다가가 고민도 들어주고, 조언도 해주는 아빠가 되어주지는 못했다. 항상 풍족하게 주고 싶은 마음과 달리 부족한 아빠였다.

부족했던 나와는 달리 딸은 평생 속 한번 썩인 적이 없었다. 조언 한 번 해준 적이 없었지만, 딸은 가고 싶은 대학에 입학하고 목표한 회사에도 취직했다. 내게 유일한 자랑거리였다. 딸은 취직 후 처음 번 돈으로, 나와 아내에게 대만 여행 티켓을 선물했다. 일평생 배를 타고 제주도에 한번 가본 것이 전부였던 아내는 많이 신나 보였다. 나도 처음 여권을 만들며 마음이 한껏 들떴지만, 한편으로 딸이 고생하며 번 돈이라는 생각에 미안한 마음도 들었다. 딸 또한 부족한 내 밑에 자라며 해외여행을 가 본 적은 한 번도 없었기 때문이다.

딸이 기대에 가득 차 준비했을 그 티켓은 결국 사용하지 못하고 환불해야 했다. 얼마 있지 않아 내가 치매와 암진단을 받았기 때문이었다. 딸에게 너무 미안했다. 하지만 어느새 이렇게 자라 자신보다도 나와 아내를 먼저 생각해 준 딸이 기특했고, 딸이 이렇게 멋지게 자란 모습을 볼 수 있어 다행이라는 생각이 더 앞섰다.

4

아내와 결혼하고, 딸을 낳으며 교실 뒤 게시판 한가운데 걸렸던 상상 속 그림을 실제로 하나씩 그려 나갔다. 나를 만나 고생만 하고도 불평 하나 없이 행복해했던 아내와 못난 아버지의 도움 없이 자기 혼자 뭐든지 척척 해내는 딸을 만난 것은 내게 큰 행운이었다. 그런 그들에게 '사랑한다'는 5살짜리도 아는 말 한마디를 끝내 하지 못했다. 쑥스럽다는 너무 작은 이유 하나로 그 큰 마음을 한 번도 보여주지 못했다고 생각하니 뒤늦은 후회가 몰려온다. 그들과 함께했던 시간을 모두 앗아간 치매가 매일 아침 눈을 뜨는 일조차 끔찍하게 만든 항암 치료보다도 야속하게 느껴진다. 하지만 짧게나마 빛나던 주마등은 이내 수명을 다하고 꺼진다. 이제는 눈을 뜰 힘조차 남아 있지 않다. 무엇이 될지 모르는 막막한 길이 무섭기도 하지만 딸과 아내가 아닌 내가 먼저 갈 수 있어서 다행이다.

엄마의 기억

1

오늘은 5개월 동안 간절히 기도해도 한번을 나오지 않던 그가 꿈에 나왔다. 사방이 산으로 둘러싸여 산 내음만 가득한 '거창'이라는 산골에서 태어난 그가 가장 좋아하는 음식은 이상하게도 생선이었다. 물고기는 바다를 떠나 우리의 식탁 위에 올라오기까지 태어나고 자란 바다의 내음을 잃지 않는다.

오늘은 오랜만에 그가 가장 좋아하던 생선조림을 먹고 싶다. 나는 생선의 입안 가득 퍼지는 그 바다향을, 비린 맛을 싫어했다. 비린내를 없애려 생선을 물에 씻어 쌀뜨물에 충분히 담가 두었다. 고춧가루 5스푼, 간장 4스푼, 된장 반 스푼, 다진 마늘 2스푼, 소주 2스푼을 섞어 양념장을 만든다. 양념을 듬뿍 끼얹고, 푹 익은 묵은지 반 포기를 썰어 넣는다. 하지만 비린내는 사라지지 않고, 집 구석구석을 헤집는다.

평생을 토목 현장에서 일한 그에게는 흙냄새가 났다. 변하지 않는 방안을 가득 채우던 그만의 냄새, 나는 그 냄새를 좋아했다. 그가 떠나고 나서야 비로소 알게 된 그의 냄새에는 소금을 뿌리지도, 양념을 하

지도 않았다. 하지만 오래 간직하고 싶었던 그 흔적은 점점 희미해져
간다.

2

남편은 허황되게 보이는 내 꿈을 처음으로 응원해 준 사람이었다.
내가 왜 손님이었던 그에게 구구절절 나의 이야기를 시작한 것인지는
잘 모르겠다. 그는 일이 끝난 후 흙이 잔뜩 묻은 작업복을 입고 매일
식당에 밥을 먹으러 왔다. 똑같은 옷차림을 한 10명이 넘는 사람들 속
에서도 그는 눈에 띄는 사람이었다. 그가 있던 테이블은 항상 삶의 푸
념으로 가득 차 시끄러웠다. 몇 달 치 월급을 받지 못하고 있다는 얘
기, 전에 일하던 곳에서도 끝내 돈을 한 푼도 받지 못했다는 얘기 등
불만이 가득 섞인 이야기들이 들려왔다. 그도 함께 앉은 그들과 같은
일을 겪었을 터였지만, 한 번도 불평하지 않았고 불안감을 내비친 적
도 없었다. 그저 사람들의 말을 묵묵히 듣고 있을 뿐이었다. 그런 그라
면 내 이야기도 아무렇지 않게 들어줄 것만 같았다.

난 어렸을 적부터 '작가'라는 꿈이 있었다. 책 읽는 것을 좋아하기
도 했지만, 글을 쓰는 것이 내 생각을 표현하는 유일한 방법이었기 때
문이다. 나는 아들을 원하던 3대 독자 집안에 첫째 딸로 태어났다. 눈
치 없이 태어난 나 때문에 엄마는 구박을 꽤 심하게 받았다고 했다. 다

행히 다음 해 바로 남동생이 태어났지만 마지못해 낳은 자식이었던 나는 여전히 눈엣가시였다. 말을 막 떼기 시작한 유년 시절부터 엄마, 아빠뿐만 아니라 남동생의 눈치까지 봐야 했다. 투정 한번 부릴 수 없었다. 그런 나에게 매일 써내려 가던 일기는 온전히 나의 이야기를 펼칠 수 있는 창구였다. 글을 쓸 때만 그 나이에 맞는 어린아이가 될 수 있었다. 공부에 전혀 흥미가 없었던 동생과 달리 나는 공부도 꽤 잘했다. 미움받는 것이 힘들어서 열심히 했던 것도 있지만 내가 꿈을 위해 할 수 있는 것이 공부밖에 없기도 했다.

그런 필사적인 노력 끝에 나는 다행히 부모님의 심기를 건드리지 않고 컸다. 고등학교를 마칠 때쯤, 대학 문예창작학과에 장학생으로 합격했다. 한참을 망설인 끝에 그들에게 대학에 가 문예를 배우고 싶다고 얘기했다. 내가 하고 싶었던 것을 말한 것은 처음이었다. 나는 평생 먹고 싶은 저녁 반찬 한 번을 바란 적이 없었고, 대학 합격과 장학금까지 확정되고 나서야 겨우 낸 용기를 낸 것이었다. 사실 이것만큼은 동의해 줄 것이라는 근거 없는 기대에 차 있었다. 하지만 "딸이 무슨 대학은 가"라는 할머니의 한마디에 쉽게 무너져 버릴 힘 없는 용기였다.

아무깃도 없이 사회에 나와, 삭가의 꿈을 이루는 것은 생각보다 어려웠다. 출판사에 아무런 경력이 없는 나를 증명하는 것은 쉬운 일이 아니었다. 그렇게 공모전 떨어지기를 수십 번 정도 했을까? 생계를 위해 어쩔 수 없이 식당 일을 시작하게 되었다. 똑같이 반복되는 일이었지만 글을 쓰는 것과 다르게 식당 일은 재미가 없었다. 나의 이야기를 펼쳐 놓을 수 있는 유일한 창이 닫히니 답답함만 밀려왔다. 일을 하면서도 머릿속은 온통 글 쓰는 것에 관한 생각으로 가득했다.

내 이야기를 들은 그는 예상과는 다르게 사뭇 진지한 표정으로 말을 꺼내었다.

"그쪽 말씀처럼 그만큼 가슴이 벅 차오르는 일이 있다면, 저는 안되더라도 죽을 때까지 해봤을 거예요."

그의 반응에 놀란 것을 보면, 어쩌면 나조차도 허황된 것으로 생각하고 있던 꿈이었는지 모른다. 사실 돈을 벌어야 한다는 이유는 핑계였다. 계속 탈락하는 공모전에 "내가 재능이 없는 것은 아닐까?", "평생 안되면 어떻게 하지?" 하는 깊이 자리한 불안감 때문이었다. 그는 꺼져 가던 내 꿈에 장작이 되어 주었다.

결혼 후, 나는 늦은 나이였지만 도전을 이어나갔다. 남편이 된 그는 늦은 시간 귀가를 하더라도 꼭 내가 쓴 글을 읽어주고 잠자리에 들었다. 내가 쓴 글을 손으로 한 줄, 한 줄 짚어가며 서투르게 글을 읽었다. 그런 그의 모습을 보고 있으면 막막함도 사라졌다. 의도한 것은 아니지만, 글을 쓰다 보니 자연스레 소설 속 주인공에는 그의 모습이 투영되었다. 무심해 보이지만 속 깊은 한 남자가 자신도 모르는 사이 만나는 다양한 사람들에게 영향을 주는 이야기였다. 하지만 그는 수차례나 글을 읽는 동안에도 그것을 눈치채지 못했다. 역시 그다웠다. 나는 남편의 모습을 담은 그 짧은 단편 소설로 작가 등단의 꿈을 이뤘다. 그는 "고생했네"라는 말이 다였지만 나보다 더 얼굴을 붉히며 들뜬 표정을 지었다.

항상 나와 딸만을 생각하던 그는 제 몸이 녹스는 것은 하나도 신경 쓰지 않았다. 몸은 그에게 몇 차례나 경고 카드를 보내었을 것이다. 그는 절대 가볍지 않던 그 경고를 부정했고, 결국 레드카드까지 꺼내 들게 했다. 뒤늦게 심각성을 인지하고 병원에 갔을 때, 상황은 생각보다 더 좋지 않았다. 그는 치매뿐만 아니라 설상가상으로 암 진단까지 받았다.

얼마 후, 그는 기억을 잃어 나를 알아보지 못할 정도가 되었다. 젊은 시절 내 모든 일의 영감이던 그는 어느새 그냥 영감이 되었다. 하지만 그는 여전히 나라는 사람 자체를 바꾸어 준 소설 속 주인공이었다. 그의 눈이 감긴 그날, 끝날 것 같지 않던 나의 기나긴 장편 소설은 끝이 났다.

3

남편이 죽은 후 딸은 미소를 잃었다. 딸이 이렇게 힘들어하는 모습을 처음 보는 것은 아니었다.

5년 전, 딸이 좋아 죽던 남자 친구와 헤어졌을 때도 마찬가지였다. 커다란 머리를 들고 고개가 아무리 아파도 해만 쫓던 해바라기는 더이상 바라볼 곳을 잃었다. 딸이 대학에 입학하고, 우리 곁을 처음 떠나게 되었고, 나와 남편은 걱정이 많았다. 처음 올라가는 서울이라는 낯선 장소도 그러했지만, 그곳에는 딸이 의지할 사람은커녕 아는 사람하나 없었다. 딸은 입학 후, 곧 남자 친구를 사귄 듯했다. 처음에는 다른 부모처럼 걱정이 되기도 했지만, 그 걱정은 곧 다행이라는 생각으로 바뀌었다. 남자 친구를 만난 후, 딸은 많이 변했다. 성장한 것 같았다. 아빠를 닮아 감정을 표현도 제대로 못 하던 딸이 어버이날에는 알바비를 모아 샀다며 홍삼과 손 편지를 써 집으로 보내기도 했다. 항상어리광만 부리던 딸이 훌쩍 커서 어른이 되었구나 싶었다. 내가 내 남편에게 그랬듯 딸도 남자 친구에게 좋은 영향을 많이 받은 것 같았다. 그때 딸은 정말 예뻤다. 엄마인 내가 아닌 그 누가 보았더라도 그랬을 것이다. 남자 친구가 딸에게 큰 사랑을 주고 있는 것 같아 안심되었다.

딸은 그런 그와 대학을 졸업할 무렵 헤어졌다. 그는 살면서 처음으로 내게 힘들다는 말을 꺼내었다. 자세한 사정까지는 말하지 않아 알 수 없었지만, 무뚝뚝하던 아이가 이런 말을 꺼내기까지 많이 망설였을 것이다. 딸이 그와 얼마나 깊은 감정을 나누었던 사이였는지 알고 있었기 때문에 혹여 상처가 될까 섣불리 이유를 물어볼 수 없었다. 혼자서는 밥도 못 먹는 딸의 모습을 보며 마음이 찢어졌다. 걱정되는 마음에 딸의 집으로 찾아가기도 했지만, 엄마인 내가 속상할 것을 생각하던 딸은 속 편히 울지도 못하는 것 같았다. 아픔을 덜어주고 싶었지만, 내가 해줄 수 있는 것이 없어 답답했다.

다행히 몇 달 지나지 않아 딸은 무슨 일이 있었냐는 듯 회복했다. 남자 친구를 완전히 잊은 듯 보였다. 하루 새에 너무 다른 사람이 되어버렸다. 그런 딸의 모습이 어색하고 이상하게 느껴지기도 했지만, 다시 웃는 모습을 보니 마음이 놓였다. 마침 졸업 후 취직 준비에 집중하며 바쁜 것인가 싶었다. 딸은 취업 준비로 바쁜 일상을 보내더니 목표하던 회사에 붙었다.

딸의 취직 직후 남편의 상태가 급격히 나빠졌다. 이제 생각해 보니 고생한 딸에게 제대로 된 축하도 못 해줬다. 딸은 회사 일로 바빴을 텐데도 시간을 쪼개어 매일 병원을 찾아왔고, 제 아빠의 말동무가 되어주었나. 어릴 적 그랬듯 남편과 오목을 두기도 하고, 함께 만화책을 읽기도 했다. 그는 제 아빠와 한참을 재밌게 놀다가도 병원을 나설 때는 자신을 알아보지 못하는 모습에 눈시울을 붉혔다.

남편의 장례식 날, 딸은 목을 놓고 서럽게 울었다. 넋이 나간 모습이었다. 몇 달간 딸의 빨간 눈은 퉁퉁 부어 나아질 기색이 보이지 않는다. 하지만 이전에도 그랬듯이 딸은 금방 이겨낼 수 있을 것이다. 딸이 얼른 이겨내고 다시 웃는 모습을 찾았으면 좋겠다.

4

생선조림을 만들고 무가 조금 남았다. 요새 딸이 회사 일로 지쳤는지 통 연락이 되지 않는다. 딸은 스트레스를 받을 때면 밥을 자주 걸렀다. 오늘 점심은 제대로 챙겨 먹었는지 모르겠다. 딸은 입이 짧았지만, 깍두기 반찬 하나만 있으면 밥을 두 공기 비워냈다. 남은 무로 딸이 가장 좋아하던 깍두기를 담가야겠다.

의사의 기억

1

　수십 그루의 은행나무가 일렬로 가득한 길 사이, 수많은 사람 속에서도 걸어오는 그를 단번에 알아볼 수 있었다. 다음 수술을 위한 약물을 제조하던 중이었지만, 나도 모르게 버선발로 뛰어나오고 말았다. 다행히 데스크 직원의 당황한 목소리가 간신히 나를 병원 자동문 앞에 멈춰 세웠다. 그의 행선지가 이곳이었는지 얼마 지나지 않아 엘리베이터가 나를 대신하여 그를 반기는 듯 '띵'하는 맑은 소리를 내며 멈춰 섰다. 그는 멀리서 보았을 때보다 더 말라 앙상해 보이기까지 한 다리로 병원에 걸어 들어왔다. "나를 찾아온 걸까?"하는 기쁜 마음도 잠시, 그의 경계 가득한 낯선 눈빛에 나에 대한 기억은 머리털 끝만큼도 남아 있지 않음을 느낄 수 있었다. 다음 예약된 수술 준비가 끝나지 않은 상태였지만, 떨려오는 마음을 참을 수 없었고, 그를 상담실로 안내했다. 그는 살가죽만 남은 듯 핼쑥한 볼을 움직이며 힘겹게 본인의 얘기를 시작했다.

　여정이는 기억을 지우는 것이 처음이 아니었는지 정말로 나를 기억하지 못했다. 5년 만난 나를 잊기 위해 여린 몸으로 감당하기 어려울

만큼 꽤 많은 기억을 지워내는 대수술을 했을 것이다.

기억을 지우는 것이 옳은 것인지 판단하는 것까지는 나의 영역이 아닐지 모르겠지만 어떤 경우에는 무서운 마음이 들기도 한다. 사람들이 생각하는 것보다 기억이라는 것은 훨씬 복잡해서 하나의 기억을 지우기 위해서는 그와 얽히고설킨 다른 기억들도 조금은 손을 봐야 한다. 그렇게 내가 건드린 기억이 환자들의 목적과 다른 결과를 가져올 수도 있고 그들의 인생이 달라질 수도 있다. 그 때문에 나는 가능한 그들이 요구하는 최소한의 기억만을 지우려고 한다.

이런 나도 기억 통째로 지워버릴까, 생각했던 적이 있었다.

2

내 동생은 스스로 목숨을 끊었다. "아무도 나를 기억하지 못했으면 좋겠어."라는 쪽지를 남기고. 기억 제거 전문의가 된 것은 어쩌면 동생의 마지막 말에 대한 해답을 얻기 위해서 일지도 모르겠다.

나와 다르게 쾌활하고 밝던 동생의 꿈은 축구 선수였다. 학교를 마치고 항상 늦게까지 친구들과 축구를 했다. 집에 돌아올 때 그의 옷은 흙이 잔뜩 묻어 있었고, 머리와 온몸은 땀에 흠뻑 젖어 있었다. 항상 장난기만 가득하고, 매사에 무관심한 동생이었지만 축구공 앞에서는 누구보다 진지했다.

2018년 11월 날씨가 추워지기 시작한 겨울, 동생은 교통사고로 다리 한쪽을 잃었다. 달라진 것은 동생의 다리만이 아니었다. 퇴원 후 그는 학교를 그만두었고, 모든 것이 끝난 듯 방안에 박혀 아무것도 하지 않았다. 그의 빠르게 달려가던 시계는 시곗바늘을 잃었고 더는 한 걸음도 나아가지 못했다. 사람들 만나는 것조차 무서워하는 동생을 보며 마음이 찢어질 듯이 아팠지만, 한편으로는 답답하기도 했다. 초조한 마음에 심리 상담 센터에 방문 치료를 의뢰해 보기도 했고 미신을 믿었던 것은 아니지만 유명한 점집에 찾아가기도 했다. 내 불안한 마음을 조금이라도 진정시키고자 했던 행동들이 동생을 더 비참하게 했던 것 같다. 어쩌면 동생을 방안 깊숙한 곳까지 내몰아 낸 것은 나였는지도 모르겠다.

내가 기억 제거 전문의가 되는 계기가 된 동생은 아이러니하게도 기억을 제거하는 병원에 대해 회의적이었다. 그는 과거 기억에 머물러 현재의 행복을 보지 못하고 많은 돈을 쓰는 그들이 어리석다고 했다.

"형, 나는 기억만 지운다면 현재에는 아무 영향이 없을 그 사람들이 부러워. 난 그날의 기억이 지워진다고 한들 바뀌는 것이 아무것도 없어. 내 다리는 그대로 일 테니까. 반대로 다리만 괜찮아진다면 난 그날의 기억쯤 아무렇지 않을 거야."

그가 아무런 힘이 없다고 말한 기억이었지만, 내게는 그렇지 않았다. 동생이 죽은 후, 아무도 자신을 기억하지 못했으면 좋겠다는 그의 유언과 달리 나는 그 기억을 지울 수 없었다. 몇 년이 지나고, '시간이 지나면 조금은 괜찮아지겠지'하는 기대마저 사라졌고, 그제야 동생을 잃은 슬픔이 아닌 다른 감정들을 느낄 수 있었다. 나는 동생을 잊지는 못했지만 묻어둘 수 있었다. 어쩌면 '기억한다'의 반대말은 '잊는다'가 아닌 '묻는다'일지도 모르겠다. 여정이에게 나는 차마 묻지 못할 아픈 기억이었던 것 같다.

3

나와 여정이는 대학교 1학년, 수강 신청이 망해 마지못해 신청한 철학 교양 수업에서 처음 만났다. 수업 첫날, 나는 강의 시작을 한참 넘기고 나서야 일어났고, 감지 않은 엉겨 붙은 머리에 술 냄새를 풀풀 풍기며 강의실의 뒷문을 열었다. 덜컥 하는 문 여는 소리에 수업을 듣던 학생들의 시선은 나에게 집중되었고 문과 가장 가까운 자리에 황급히 앉았다. 옆에는 흰색 셔츠 원피스를 입은 여정이가 앉아 있었다. 수업은 가다머의 '진리와 방법'이라는 제목부터 졸음이 몰려오는 책을 함께 읽고 옆 사람과 얘기를 나누는 방식이었다.

따분할 것이라는 예상과 달리 이 수업은 내 대학 시절 어느 수업보다 가장 재미있는 기억이 되었다. 그날 '인간은 과거에 영향을 받는 유한한 존재이다.'라는 문장 하나로 나와 여정이는 수업이 끝나고도 3시간 넘게 토론했다. 그의 얘기를 듣고 있으면 나도 모르게 빠져들었고, 재미있어 시간 가는 줄 몰랐다. 어느 새인가부터 나는 그 수업을 기다리고 있었다. 더 정확히 말하자면 내가 기다린 것은 수업이 아니라 여정이의 생각을 듣는 일이었다. 수업은 그저 우리에게 생각할 거리를 던져주는 볼 머신에 불과했다. 그렇게 책 내용을 멋대로 해석한 우리의 학점은 F를 겨우 면한 D- 이었다.

"학점은 정해진 답을 맞혀야 높은 점수를 받는 거잖아. 우리는 그 선입견을 벗어나 새로운 답을 제시한 거지. D-라는 학점은 선입견을 깨라는 가다머의 말을 어쩌면 가장 잘 이해한 것 아닐까."

여정이가 해맑게 웃으며 말했고 나는 그만 웃음이 터지고 말았다. 그렇게 우리는 연인이 되었고, 서로에 대한 물음도 하나씩 해결해 나가며 추억을 쌓아 나갔다.

어떠한 일에도 미소를 잃지 않던 그는 마지막까지도 애써 웃음 지었다. 그 웃음은 처음으로 달지 않았다. 2018년 겨울, 하나밖에 없던 동생이 죽고, 세상이 무너지며 몰려온 먹먹함은 끝없이 팽창해 급기야

나의 모든 일상을 집어삼켰다. 나는 동생의 죽음을 아무에게도 알리지 못한 채 연락을 끊어버렸다. 여정이도 예외는 아니었다. 5년을 함께한 여정에게도 이 아픔까지 나눌 수는 없었다. 갑작스레 연락이 닿지 않는 나를 걱정했을 여정이는 일주일이 지났을 즈음 책을 한 권 들고 집을 찾아왔다. 그는 내가 동생의 교통사고 일로 방황하는 것이라 짐작하는 듯했다. 그는 해주고 싶은 말이 담겨 있다며 책을 폈다. 한 구절을 끝내 다 읽지도 않았을 때, 나는 그만 여정이 손에 들려 있던 책을 낚아채어 그 페이지를 찢어버렸다.

"나한테 뭘 어쩌라는 거야. 날 제발 더 이상 괴롭히지 말고 내버려 둬. 그냥 꺼져."

그 구절에 잠시 내 입장이 투영되어 보였던 것은 맞다. 하지만 그로 인해 내 상황이 더 절망적으로 느껴진 것은 아니었다. 나도 그때 내가 왜 그랬는지 그 감정을 정확히 이해할 수는 없다. 그냥 절망이라는 감정을 책을 명분 삼아 분노라는 감정으로 표출한 것일지도 모르겠다. 여정이는 "정말 미안하다"는 말만 남기고 돌아갔다. 그렇게 영하의 날씨에 소복이 쌓인 눈은 꽁꽁 얼어붙어 녹지 않았다.

2달이 지난 2019년 2월 그의 졸업식이 있던 날, 그는 마지막으로 나를 찾아왔다. 그는 내가 찢었던 페이지를 다시 테이프로 이어 붙인 책을 건넸다. 끝까지 내 생각뿐인 사람이었다. 같은 유리지만 앞을 비추어보는 거울과 뒤를 내다보는 창처럼 우리는 달랐다. 나는 그 책을 한참이 지나고 나서야 읽었고, 그제야 여정이가 찢어진 페이지 한편 남겨 놓은 메시지를 확인할 수 있었다. 내 앞에 비친 상황만 바라보며 멈춰 있던 나는 여정이를 통해 비로소 밖을 볼 수 있었다.

4

나를 완전히 지워버린 그에게 하나 남은 기억은 부모님에 관한 것이었고, 그는 그것마저 지우려 했다. 사람들이 기억을 지우려는 이유는 생각보다 훨씬 다양하다. 사소하게는 트라우마 극복을 위해 관련 기억을 지워 달라는 환자도 있고, 범죄를 저지른 후 그 기억을 지워 달라는 환자도 있다. 그 외에도 수많은 이유가 있었지만, 그들이 지우고자 하는 기억이 그들을 괴롭히고 있다는 사실만큼은 같았다. 몇천 건의 기억을 지우는 수술을 하면서도 내가 잊고 싶은 기억 속의 주인공이 될 것이라고는 생각해 본 적이 없었다.

사실 여정이와 비슷한 이유로 병원을 찾는 환자들은 꽤 많다. 일주일에 1~2건 정도는 꼭 있는 진료 내용이고 어려운 수술은 아니다. 그만큼 흔한 사연이라 볼 수도 있겠지만, 같은 이유로 병원을 찾아온 그들의 모습을 본다면 그 누구도 결코 작은 일이라 말하지는 못할 것이다. 하지만 누구보다 나를 기억해 주기를 바랐던 그에게 아픈 기억으로 지워진 나는 도저히 수술할 수 없었다. 마지막 나의 말로 힘들어했을 그에게 당장이라도 미안하다는 말을 전하고 싶다. 하지만 차마 뱉을 수 없는 그 말을 꾹 삼킨다.

그는 기억을 지우려는 결심을 하기까지 많이 고민했을 것이다. 나 또한 가장 소중했던 두 사람과의 이별 후 죽고 싶을 만큼 아팠지만, 그들과 함께했던 일상들을 지워낼 용기가 없었다. 그 선명한 기억이 흐릿해지기를 기다리고 또 기다렸다. 그렇게 겨우 조금이나마 연해진 기억을 가슴에 묻어두고 나서야, 나에게 남겨진 것을 보며 나아갈 수 있었다.

'기억을 잃는다'는 것이 그 기억과 관련된 아픔과 행복까지 지울 수 있는 것일지는 의사인 나조차 모르겠다. 그것이 맞다면 기억을 지우는 것이 맞는 판단일지도 모른다. 하지만 그가 내게 그러했듯 그가 앞을 보고 나아갈 수 있도록 도와주고 싶다. 더는 소중한 기억을 잃지 않은 채 나아갈 수 있도록, 그 아픔을 이겨내고 기억을 마주할 수 있도록 힘이 되어주고 싶다.

서랍에서 여정이가 나에게 주었던 책을 꺼낸다. 그리고 그가 내게 남겼던 메시지를 이번에는 내가 그에게 전한다. 그는 내가 그러했듯 생각이 많아진 듯 잠시 말을 잃었지만 이내 웃는 모습을 보였다.

병원을 나가는 길, 여정이가 거울 앞에 서 헝클어진 머리를 다시 묶는 모습이 보인다. 단단한 껍질이 깨지고 세상 밖이 무서워 한 걸음도 떼지 못하던 병아리는 드디어 울음을 멈추고 한 발짝 내디딘다.

지구 한 바퀴

지구소풍

지구소풍　인생 길 1구간은 별로 선택의 여지가 없었다. 오십 중반 무렵부터 나에게 집중하는 인생 길 2구간을 걸어왔다. 코로나 대유행으로 내가 걸었던 길을 기억하기 위해 2월 5일부터 매일 글쓰기를 시작하여 2024년 4월 21일 오늘까지 1,539일 쉬지 않고 있다. 세계 50개국 여행하여 지구 한 바퀴라는 애칭을 얻고, 지구 소풍이라는 블로그를 951일 기록하며 길 위의 사람들과 길을 넓혀가고 있다. 올해 8월이면 명예로운 41년 초등 교사를 정년 퇴임하는 나에게 이 책을 선물하려고 한다. 그리고 9월이면 시작하는 인생 길 3구간은 더 여유 있게 걷고 계속 길 위의 이야기를 쓸 것이다.

blog: https://blog.naver.com/tigereao62

나는 길에서 세상을 배우며 자랐다.

어릴 적 아버지는 시내버스 새로운 노선이 생기면 무릎에 앉혀 서울의 길을 익히게 했다.

우리 집은 가난해서 초등학교 때까지 교과서 외에는 책이 없었다. 나의 주변에는 하루 살기 바쁜 사람들뿐이어서 책을 읽는 사람도 없었다. 초등학교 6년을 마치면 중학교 진학을 하지 못하고 일터로 가는 친구들이 많던 70년대였으니까. 5학년 때인가 집 밖에서 고물 아저씨의 목소리가 들렸다.

"집에 안 쓰는 물건 바꿔요. 상냉이!"

고물 리어카 가위 소리에 강냉이 먹을 욕심에 무언가를 들고 나갔다. 그때 물건이 가득 쌓인 리어카 구석에서 발견한 책이 〈김찬삼의 세계여행〉 시리즈 (1962년 발간) 중에서 2권이었다. 지금은 몇 번인지 기억도 나지 않지만, 남미와 아프리카, 남아메리카의 사진이 가득한 두꺼운 전집이었는데 겉표지는 찢어지고 없었다.

구름 위에 솟은 드넓은 고대 도시 마추픽추와 기이한 모양의 피라미드, 사막 절벽 아래 붉은 암벽 도시 페트라가 너무나 신기하여 믿을 수가 없을 지경이었다. 얼마 후 아버지께 이런 곳은 도대체 세상 어디에 있냐고 여쭈어보았다. 아버지께서는

"지구 정반대 편이어서 우리나라에서 제일 먼 곳이야. 비행기도 여러 번 갈아타야 해서 며칠이 걸리고 돈이 많이 드는 곳이지. 그러니 그럴 시간 있으면 집안일이나 도와라. 꿈도 꾸지 마라."

어려운 현실에서 벗어나고 싶은 어린 여자아이에게는 입에 담을 수조차 없는 불가능한 희망인 것 같아서 늘 꿈에서라도 만나기를 참 많

이 바라고 바랐다. 그래서인지 나는 열심히 공부하였고 뭐든 잘 해내려고 억척스럽게 살았다. 그러면서 가끔 내가 잘되고 있다는 생각이 들 때면 마추픽추(페루)와 티깔(과테말라), 페트라(요르단)를 떠올렸다. 아니 슬프고 힘들 때면 마음 안으로 불러와 언젠가는 꼭 가보리라 그리워했던 곳이었다.

초등학교 교사로 30년 넘게 근무하며 두 아이의 엄마가 되었다. 학교와 가정을 오가며 나의 역할과 책임의 울타리 안에서 열심히 살았다. 막내가 대학을 입학하니 어느덧 내 나이 오십 중반이 되었다. 헛헛한 마음에 갱년기와 허리, 목 디스크로 몸이 아프고 만사가 힘들었다. 병원과 한의원을 맴돌아도 나아지지 않아 우울했다. 주변에서는 몸과 마음이 힘에 부칠 때는 명예퇴직을 선택하여 쉬라고 했지만, 억울한 생각이 들었다.

빈껍데기 같았던 그때, 43년 전의 나의 영웅 김찬삼과 그 낡은 책이 떠올랐다. 12살에 꾸었던 세 가지 꿈이 생각나며 점점 분명해졌다. 흑백의 일상들에 신기루 같은 지구의 풍경 펼쳐졌다. 이제 나이와 건강 탓을 하지 말고 더 늦기 전에 나의 꿈을 이루고 싶다는 결심을 했다.

널브러져 있는 몸과 마음, 미래에 대한 불안에서 나를 붙잡아 준 것은 혼자 걷기였다. 마음을 다잡고 운동화를 신고 밖으로 나와 걷고 걸었다. 동네 걷기를 벗어나 인터넷 걷기 동호회에 가입하여 거리를 넓혔다. 한강 백리 걷기(40km), 울트라 걷기(50km), 무박 걷기(37.5km)

에 도전하고 서울 둘레길이나 제주 올레길을 완주하였다. 그 길들은 희망과 자유라는 선물을 주었다. 더 나아가 남미, 아프리카, 인도, 러시아 등 55개국 해외여행을 나섰다.

그러나 갑작스럽게 몇 번의 수술을 받게 되고 벌써 노화가 많이 진행되어 퇴행성 질환들을 걱정해야 할 때임을 알게 되었다. 대수롭지 않게 여기던 건강이 생각처럼 마음대로 되지 않고 이제는 제일 중요하다는 것을 가르쳐 주었다. 늙어가는 것은 심신의 정상시간이 무한정이 아니라 서서히 위축되는 것이다. 노화의 시계가 점점 빨라지고 있음을 확연히 느끼며 지금 최선을 다해야 후회를 덜 하게 된다는 것을 깨닫게 하였다.

지금처럼 계속 혼자 부지런히 걸으며 공감하며 세상을 알아야겠다. 2020년 2월 5일에 시작한 매일 글쓰기도 진심을 다해 써보려고 한다. 무엇이 중요한지, 어떻게 해야 잘 사는 것인지 끊임없이 질문하고 답

을 찾으려고 노력할 때 조금 더 소중한 내가 되고 의미 있는 삶의 주인
이 될 것이다. 자신의 삶을 돌볼 수 있는 사람은 스스로이고 지속적인
연습으로 훈련이 되어야 한다. 수없이 많은 걷기 여행을 하며 세상에
내가 알지 못하던 길들이 아주 많음을 알았다. 실패는 지는 것이 아니
라 포기하는 것임을 깨우치게 되었다. 새로운 것을 시도할 때마다 힘
을 되었던 소설 어린 왕자 중에서 내가 사랑하는 문장이 생각났다.

"너의 장미꽃이 그토록 소중한 이유는 그 꽃을 위해 네가 공들인 시
간 때문이야."

니는 길에서 길을 찾을 수 있었나.

오십 중반에 30여 년 가족과 직장만을 오가던 길에서 방향을 바꾸
었다. 처음 가보는 길은 이정표도 보이지 않아 제대로 가고 있는지 불

안했다. 험한 길 같아 겁이 많이 났지만 버티며 포기하지 않았다. 혼자가 아니었다. 길을 잃은 게 아니었다. 내가 살아온 삶이 길이었고 못 가본 길은 새로운 길이 되어 주었다. 살면서 길을 잃었다고 생각하는 순간이라면 목적지를 바꾸고 싶은데 어디로 가야 할지 모르는 순간이라면 당신에게도 지금 새로운 길이 필요한 것 아닐까요?

누군가에게 이 길이 맞는지 물어볼 용기가 나지 않아 잘못된 길을 계속 걸었던 적도 있지 않았나요?

나는 길을 걷다 보면 길이 알려 줄 것 같아 계속 걸었다. 당장 떠나지 못하는 당신에게 내가 걸었던 인생길을 이야기하고 싶습니다.

봄

1. 쌍계사 십 리 벚꽃길 - 경남 하동

'꽃비 흩날리던 쌍계사 벚꽃길'

경남 하동은 동쪽으로 진주시와 북쪽으로 산청군·함양군과 전라북도 남원시, 남쪽으로 남해군과 마주하며, 서쪽으로는 섬진강(蟾津江)을 경계로 전라남도 구례군·광양시와 각각 접한다.

코로나 대유행으로 어수선하던 3월 주말 늦은 밤, 하동 화개 장터에서 화개동 천을 따라 지리산 쌍계사 입구까지 십 리 벚꽃길을 걸었다. 50년 이상 100년 된 벚나무들이 길 양쪽에 빽빽이 서서 하얀 벚꽃 터널을 이루고 있었다. 세월을 담아낸 아름드리나무에 여린 꽃들이 겹겹이 포개져 두덩을 이루어 흐드러지게 피어있었다. 어느 사이 땅거미가 내리면서 니른 화개동 천 물줄기 위로 섬붉은 해 꼬리가 밉게 앉는다. 벚꽃잎은 봄비처럼 바람에 흩날리다 살포시 내리며 어두운 밤길을 조명처럼 밝혀주었다.

하룻밤 사이 십 리 벚꽃길은 너무나 달라져 있어 깜짝 놀랐다. 새벽 비에 흠뻑 젖은 시꺼먼 아스팔트 위에 작은 꽃잎들이 못내 아쉬운 듯 찰싹 달라붙어 하얀 꽃길이 되어 있었다. 하얀 꽃비가 바람 따라 춤을 추며 쌍계사로 가는 새벽길을 곱게 물들였다. 화개천 따라 끝이 안 보이는 백년의 벚꽃 터널 마지막, 지리산 자락 아늑한 곳에 천년의 쌍계사가 있었다.

찻길 옆 나란히 흐르는 화개동 천에는 천왕봉에서 시작했을 굵은 빗물들이 모여서 커다란 바위들과 부딪혔다. 점점 넓게 흐르는 화개동 천의 끝에는 전라도 구례와 경상도 하동 사람들이 사이좋게 만나는 섬진강 화개 장터가 있었다. 바로 앞의 섬진강은 화개동 천의 쏟아지는 성난 물줄기들을 고요히 받아내며 천천히 아래로 흘러가고 있었다.

소설가 김동리의 소설 '역마'가 생각났다. '역마'의 시작 문장, '화개 장터'의 냇물은 길과 함께 흘러서 세 갈래로 나 있었다. 한 줄기는 전라도 구례(求禮) 쪽에서 오고, 한 줄기는 경상도 쪽 화개협(花開峽)에서 흘러내려, 여기서 합쳐서, 푸른 산과 검은 고목 그림자를 거꾸로 비치인 채, 호수같이 조용히 돌아, 경상 전라 양도의 경계를 그어주며,

다시 남으로 남으로 흘러내리는 것이, 섬진강(蟾津江) 본류(本流)였다.

오랫동안 화개 장터 앞에 멈춰 서서 섬진강을 바라보았다. 이 빗속에서 저 거침없는 화개천을 고요히 품어낸 저 섬진강 물줄기는 어디로 흐르는 것인가, 아마 태평양으로 뻗는 넓은 남해 바다일 테지. 서로 다른 땅에서 흘러나온 가는 물줄기들은 모여 섞이고 저렇게 흘러 흘러 거대한 침묵 속으로 빠져들어 가겠지. 생각해 보니 내 인생 또한 그러했다. 나는 역할에 애쓰느라 혼자일 때가 많았고, 감정을 견디며 앞으로 나아가는 것에만 정신을 집중하며 살았다. 자신도 잘 모르면서 세상을 제일 아는 것처럼.

걷기를 참 좋아한다. 자유롭게 걷고 또 걸으며 이렇게 끊임없이 자신을 들여다보고 기억한다면, 나 또한 저렇게 거대한 침묵처럼 평화로워질 수 있을까. 봄비는 주적주적 내리고, 나는 땅으로, 섬진강으로 흐르는 벚꽃잎들을 기억한다. 고요한 섬진강 물줄기를 뒤로 한 채 화개 장터 다리를 건너 요란한 장터로 들어갔다. 지금까지와 전혀 다른 세상이었다.

2. 세계에서 가장 복잡한 골목 도시, 페즈의 올드 메디나 - 모로코

'사라지는 것이 아니라 살아지고 있던 천년의 골목길'

아프리카 서북쪽 모로코는 사하라사막과 세계적인 도시 카사블랑카로 유명한 이슬람 국가이다. 지브롤터 해협을 사이에 두고 스페인과 겨우 14km 떨어져 있어 스페인에서 배를 타고 여행을 오는 사람들도 아주 많다.

모로코의 도시 중 가장 오래된 페즈는 수천 년의 역사를 지녔다. 페즈의 구시가지 메디나는 세계에서 가장 오래된 중세도시의 모습을 고스란히 간직하고 있어 세계 문화유산으로 등록되어 있다.

옛 도시를 뜻하는 메디나 안에는 모스크와 학교, 공중목욕탕, 공장, 시장, 호텔 등, 도시의 기능을 갖추고 있다. 오랜 세월을 버틴 흙벽으로 된 9,000여 개의 좁은 골목이 미로처럼 연결되어 있다.

수천 년 세월의 흔적이 완연한 골목은 북아프리카 5월의 작열하는 태양과 끈적거리는 더위를 모두 삼키고 있어 시원했다. 골목마다 들리는 기도 소리에 걸음을 멈추는 사람들을 보며 이곳이 이슬람 국가임을 알게 한다. 집들이 모두 똑같이 생긴 창문과 출입문, 단순한 벽인 이유가 있었다. 이슬람 왕국을 세운 이드리시 1세가 '평등'을 강조하여 겉으로 보이는 부자와 가난한 집의 구분을 없앴다고 한다. 그래서 부자의 집은 대문을 열고 들어갈수록 넓고 화려하다고 한다. 우리나라의 빈부 차이가 현격히 드러나는 주거 형태와 비교가 많이 되었다. 언젠가 시선을 끌었던 대기업의 아파트 광고가 생각났다.

'당신이 사는 곳이 당신이 누구인지 말해줍니다!'

한 사람이 겨우 지나갈 정도의 좁은 골목길은 주민들과 여행 온 사람들, 짐을 실은 당나귀가 쉴 새 없이 지나간다. 온통 검은 옷으로 눈만 남긴 여자들과 흰색 옷의 건장한 남자들의 눈이 마주친다. 동양 여자를 흘어보는 눈길과 좁은 골목의 삶에 지친 표정이 느껴진다. 그럴수록 안보는 척 그들을 살펴본다. 그들의 삶을 알고 이야기를 쓰고 싶다. 혼자 걷는 동양 여자답게 미소를 짓고 당당하게 길을 걸었다.

어디선가 아이들의 웃음소리가 들려 발걸음을 멈춘다. 해맑은 미소를 지으며 "Hello" 하며 말을 시키니 정말 반가웠다. 나를 따라오며 노래하고 손짓하더니 골목 가운데 있는 가죽 염색 우물 위에 있는 가죽 상점 시디모우새테너리로 안내했다.

말은 안 통해도 여행객들의 이동 경로를 알고 있는 듯했다. 계단 입구에서 갑자기 달려드는 동물 썩는 냄새에 인상을 쓰며 코를 가렸다. 아이들은 옷 주머니에서 작은 잎사귀를 꺼내 코에 대라는 동작을 보인다. 향긋한 민트 잎 몇 개를 주었는데 가죽 염료의 악취와 피로를 잊게 해주었다.

아이들에게 웃으며 1달러를 주니 연신 고맙다고 하며 어느 사이 좁은 골목길 속으로 사라진다. 아마 기다리고 있는 가족들에게 번 돈을 주려고 빨리 달려간 것 같다. 저 돈으로 가족들의 생계에 도움이 되리라는 생각과 이런 돈벌이 때문에 학교에 가지 않는 것은 아닌지 하며 걱정도 하였다. 하지만 어린아이들의 반짝이는 눈과 커다란 입꼬리 모습을 오래오래 간직하기로 했다.

'빨강, 파랑, 노랑 등 여러 가지 원색의 염료가 갈색 우물에 담겨 있네. 세상에서 가장 크고 아름다운 팔레트 같다더니 맞네!

"저기 정성을 다하여 일하는 기술자들의 모습을 자세히 보세요. 모로코에만 있는 천년의 전통 염색 방식이지요. 이곳 수제 가죽 물건들 모두 최고의 장인들이 저렇게 만들고 있어요."

마치 남자들의 일하는 모습은 가게 물건을 비싸게 팔기 위한 이벤트 같았다. 깜짝 놀랄 만큼 비싼 가격을 부르더니 돌아서는 사람들에게 흥정했다. 물건 가격의 어느 정도나 저 노동자들의 임금으로 지급될지 생각했다. 거만하고 돈이 많아 보이는 사장에게 거부감이 생겼다. 저들이 최저 임금을 받는 삶에 찌든 노동자가 아니라 모로코 최고 염색 장인의 대우를 받고 있는지 궁금해졌다.

뜨거운 해도 들지 않고 구글 지도도 통하지 않는 구부러지고 어두운 골목길 새싱. 처음에는 길눈이 밝으니 헤매지 않으려면 잘 기억해야지 생각하였다. 분명 큰 지도를 펼쳐 확인하며 걸었는데 계속 연결되어 내가 새로운 곳에 있다는 것을 실감하였다.

'그래 길은 많이 있어. 조금 더 걷다 보면 익숙해질 거고, 언젠가는 출구가 나올 거야!'

불안하지 않았다. 그저 발길 닿는 대로 걸으며 사람들의 동선을 살필 수밖에 없었다. 나는 인생의 위기마다 바둥거리며 길을 찾으려 애썼다. 결국 제자리에 멈추어 힘을 빼고 호흡을 다듬고 생각을 모으면 길이 있었다. 쉬울 때보다 어려운 적이 더 많았지만 결국 앞으로 나아갔다.

모로코 올드 메디나의 구불구불 미로 같은 골목길이 참 좋았다. 골목길에서 천 년 전에, 백 년 전에도 살았을 사람들의 다양한 삶의 모습이 그려졌다. 아무리 걸어도 멈추지 않는 미로 같은 길에서 보았던 사람들의 진지한 표정을 아직도 기억하고 있다. 조상 때부터 살았을 그 미로 골목길을 운명처럼 지키며 열심히 살고 있을 것이다. 그 입구이자 출구인 블루 게이트를 나오며 서로 다른 길을 걸어도 언젠가는 다시 만나는 사람들의 인연이 떠올랐다.

3. 쪽빛 바다를 품은 욕지도 - 경남 통영

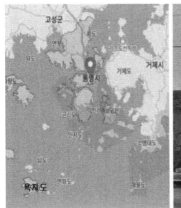

'은빛 고등어 넘실거리는 해안 길 할매 커피집'

4월 중순은 남해를 여행하기 정말 좋은 날씨였다. 육지는 온통 꽃 세상이고 반도 끝자락 통영은 따뜻하고 봄 햇살이 가득했다. 어제 한산도에 이어 섬 투어 2일 차 오늘은 통영을 대표하는 욕지도로 출발하는 날이다. 이른 아침 통영항 여객터미널을 출발한 욕지도행 배는 트로트 경음악 소리에 맞춰 흔들거렸다. 점점 작아지는 통영 항구와 요트장, 신선대 전망대를 멀리멀리 밀어내고 있었다. 욕지도는 지혜를 추구한다는 섬 이름처럼 한려수도의 39개의 섬을 아우르는 맏형이다. 남쪽 끝 먼바다에서 오는 거친 풍랑을 온몸으로 막아내어 바다 앞은 호수처럼 늘 잔잔했다.

섬을 한 바퀴 도는 일주도로(17km) 아래로 긴 세월 동안 깎여 내린 아찔한 해안 단애가 탄성을 자아내게 한다. 일주도로 북쪽엔 가두리 양식장인 듯 보이는 부표 군락들이 꽤 많이 보였다. 모두 고등어 양식장인데 우리나라 최초이자 최대 규모라고 한다. 서울 사람들 먹는 고등어회는 거의 욕지도 산이고 요리용은 노르웨이에서 수입한 냉동이라 비린내가 많다고 한다. 이곳은 일제 강점기 때부터 남해 최대의 어업 기지였다. 전성기에는 인구 2만 3천 명의 인구가 번창했는데 지금은 2천 명의 사람들이 살 뿐이다. 바닷길 따라 한나절 만에 섬 한 바퀴를 걸었다. 욕지도는 거의 산비탈이어서 논이 없고 거의 고구마밭이다.

꽤 큰 섬인 매물도와 연화도가 한눈에 보이는 새천년 전망대가 있다. 마침 그곳에 정차해 있던 욕지도 하나뿐인 마을버스 기사님이,

"욕지도에서 경치가 제일 좋은 곳이니 길 건너 달 모양의 조형물 앞에 서봐요. 아지매는 혼자 왔고 평일 사람도 없으니 특별히 직접 사진을 찍어줄게요. "

버스 운전석에서 큰 목소리로 서너 개의 멋진 포즈를 지시하였다. 버스 안에서 기다리던 몇 명의 할매들은 열린 창문 사이로 고개를 내

밀며

"어디서 왔소, 왜 혼자 왔는기요?"

"아지매는 젊어서 좋겠소. 지금이 제일 좋을 때니까 하고 싶은 거 다 하고 사이소"

"제 나이 환갑이에요!"

"세월이 뚝딱 흘러 이렇게 늙은이가 금방 되부러!"

해안 도로인 욕지일주로를 한참 걷다 보니 "욕지도 할매 바리스타" 가게가 보였다. 평균 나이 75세 할매들이 공동 운영하는 곳이다. 할매들은 예쁜 앞치마를 두르고 이름표를 보이며 진한 사투리로 주문을 받았다. 주름이 확연한 어르신이 커피 메뉴를 줄줄 외우며 주문을 받아 재미있었다.

"내가 여그서 68세 제일 젊은 막내야. 그래서 반장이지!"

"여자 혼자 여기까지 혼자 온 것 보니 씩씩한 사람이네?"

"KBS 인간극장에도 출연하였는데 본 적 있소?"

"한 살이라도 젊을 때 여기저기 많이 다니고, 하고 싶은 것 쬐다하고 사이소!"

할매들은 손님은 나 혼자인데 부지런히 움직였다. 흥얼거리며 어찌나 즐겁게 이야기하는지 나도 저렇게 나이 들어가고 싶다는 생각이 들었다. 검푸른 바다에서 밀려오는 진한 고등어 비린내와 아이스 아메리카노 향기는 서로 누가 냄새가 강한가 경쟁하듯 독특한 향내를 내며 바람에 섞였다. 바로 옆 느티나무 밑에서 욕지도 할매들의 욕설 섞인 구수한 이야기를 엿듣느라 시간 가는 줄 몰랐다.

　4월의 푸른 하늘이 내린 쪽빛 바다 욕지도는 내가 가본 세계적인 휴양 섬 이태리 카프리섬보다 아름다운 곳이다. 썰물처럼 젊은 사람들이 빠져나간 한적한 섬 욕지도를 움직이게 하는 것은 푸른 바다 반짝이며 뛰어노는 은빛 고등어들과 예쁜 앞치마를 두르고 즐겁게 일하는 바리스타 할매들이다.

여름

1. 페리토 모레노 빙하 – 아르헨티나

'온통 얼음 세상 백 만년의 빙하 길'

볼리비아에서 출발하여 칠레와 아르헨티나 파타고니아까지 길은 무척 길다. 길게 뻗은 끝이 보이지 않는 사막과 초원에 사람도 별로 보이지 않는 지루한 길이다. 버스 안에서 누워 음악을 듣다, 책을 읽다가 여행을 나선 이유를 생각해 보았다. 비행기를 타지 않고 이렇게 장거리 버스를 타는 시간은 시무한 시간이 아니라, 새로운 곳을 가기 위한 쉼이라는 생각이 들었다. 여행을 떠나기 전 예상은 했지만 집 떠나 15일째 몸은 피곤하지만 지루하지 않았다.

이런 시간은 버스 안의 낯선 사람들의 제각기 다른 모습과 차창 너머 풍광에 집중할 수 있어 즐겁다. 오랫동안 확인하고 싶었던 모레노 빙하의 마법적인 풍광에 대한 놀라워할 내 모습이 떠오르며 흥분이 된다. 처음으로 거대한 빙하를 걸으며 보고, 듣고, 느낄 것들이 많은 것 같아 기다려진다. 행복은 소유나 인정이 아니라 이렇게 스스로 선택하여 이루어가는 과정의 감정들 같다.

남아메리카 대륙 맨 끝 아르헨티나 최 남쪽 남극과 가까운 파타고니아 대륙에 로스 글라시아레스 국립공원이 있다. 이곳은 오래된 너도밤나무 숲과 안데스산맥의 뾰족뾰족한 봉우리에 둘러싸인 곳에 있는 페리토 모레노 빙하가 매우 유명한 곳이다.

우선 크기가 엄청나서 한반도의 5배 정도이다. 그곳의 빙하들이 조금씩 녹으면서 갈라져 떨어져 나갈 때 하늘을 울리는 천둥소리가 난다. 그 장엄한 자연의 소리 때문에 더더욱 유명해진 곳이기도 하다. 시퍼런 백 만년 빙하들이 제 살덩이 떼어 내며 비명을 지르며 쪽빛 호수에 물보라를 일으킨다. 세상을 깨우는 소리에 사람들의 흥분과 감회로 넘치고 있었다. 모두 빙하에 빠져 각자의 방식으로 받아들이고 있었다. 백만 년의 빙하가 쪼개져 얼음덩어리가 되어 눈앞에서 녹아버리는 것은 한순간이었다. 그렇게 제 원래 모습이었던 물이 되어갔다. 모두 자연의 경이로움에 놀라며 지구의 환경을 걱정하고 부지런히 남 탓을 했다.

현지에서는 여러 가지 빙하 투어가 이루어지고 있다. 빙하 구역 외곽을 돌아보고 가까이서 빙하를 관찰할 수 있는 크루즈 투어, 빙하를 포함한 국립공원 전체를 전망하는 버스 투어 등 다양한 프로그램이 있지만, 내가 선택한 것은 아이젠을 끼고 직접 빙하 위를 걸어보는 트레킹 투어였다. 처음으로 빙하얼음을 가까이서 보고 그 위를 걸어보는 것이라 긴장되기도 하고 설렜다.

빙하 위를 걷는 것은 생각보다 힘들었다. 이정표도 없을뿐더러 바닥이 고르지 않기 때문이다. 나란 앞사람의 뒤를 따라 중심을 유지하면서 조용히 걷는 것만이 내가 할 수 있는 일이었다. 그때만큼은 내가 밟는 바닥을 유심히 집중하여 보면서 매 순간을 걸었다. 이제 시작이라는 듯이 바람은 뭐든 날려 버릴 기세로 덤벼들었다. 바람에 버티기 위해 몸을 최대한 웅크려 작게 만들었다. 나는 점점 작아졌지만 단단해졌고 바람이 무섭지 않았다.

놀랍게도, 빙하들은 어디선가 봤던 것처럼 하얗지 않았다. 시리도록 파랬다. 그때 처음으로 빙하의 순수한 색깔이 파랗다는 것을 알았다. 빙하에도 원색이 있다는 걸 빙하 길을 걸으며 알았다. 어쩌면 수만 년 동안 쌓아온 시간의 결정체가 순수한 하얀색일 것이라는 생각은 우리의 고정관념 혹은 착각일지도 모른다. 세상의 어떤 것이든 세월이 지나고 시간이 흐르면 자신만의 색을 지닌다. 긴 세월 동안 스스로 갈고닦은 이 빙하에서는 시리도록 푸른색이 나고 있었다. 그리고 나는 이 길을 걸으며 나 자신의 색에 대해 생각하고 있었다.

"나는 어떤 색을 가지고 있을까? 붉은색, 파란색, 검은색, 회색, 카멜레온 색? 알 수 없는 색, 호감 있는 색, 무색무취의 색?"

다만, 바라는 것은 자신의 원색이 인생을 살면서 바래지거나 흐려지지 않고 다른 사람과 어울리는 색깔이었으면 좋겠다는 것이다. 이 트레킹 투어 또한 마찬가지였다. 트레킹 투어에 참여한 사람들의 국적이나 그 이유는 제각각이었지만, 모두 이 빙하 위에서는 일렬로 줄을 맞추어 길을 함께 만들어 나가고 있었다.

수백만 년을 품은 빙하는 어머니처럼 이런 인간들을 품어주는 듯 보였다. 백년도 못사는 인간들이 자기 몸을 밟고 지나가는 것이, 어머니로서는 가소롭지 않겠는가. 나의 발자국은 바람에 금방 지워지겠지만, 이 빙하는 자신의 원색을 지키며 앞으로도 수만 년을 더 이 자리에 있겠지. 이러한 대자연의 장엄함이 이 모레노 빙하가 유명한 이유가 아닌가 싶었다.

안내인은 모두에게 바람 부는 빙하 트레킹을 무사히 해낸 것을 축하하자며 백만 년 빙하의 얼음을 섞은 위스키 언더락을 권했다. 백만 년의 시간이 차갑고 뜨겁게 입안 가득 스며들었다.

가끔 지구 반대편 먼 세상, 사람이 접근할 수 있는 가장 아름다운 페리노 모레노 백만 년 빙하와 쪽빛 호수가 꿈에 보인다. 그러면 나는 나의 색을 지닌 얼굴에 손을 얹으며 그 차가움을 느낀다.

2. 잉카의 전설 숨겨진 비밀의 도시 마추픽추 - 페루

'끊어질 듯 이어지는 비에 젖은 황혼의 계단 길'

남아메리카 페루의 옛 잉카제국 도시 마추픽추는 '오래된 봉우리' 라는 뜻으로 해발 약 2,437m에 위치한 고산도시이다. 험준한 산줄기 깊은 산에 위치하여 땅에서는 어디에 있는지도 볼 수 없다고 해서 잃어버린 도시라는 이름으로도 불린다. 1530년대쯤에 아메리카 대륙에서 가장 큰 잉카제국이 천연두 대유행과 스페인의 점령으로 멸망하였다. 마추픽추도 함께 쇠락하여 완전히 사람들의 기억 속에서 잊혀있다가 1911년 탐험가에 의해 발견되었다.

'세계 7대 불가사의 공중 도시' 마추픽추에 가는 길은 험난하였다. 마추픽추를 더 잘 보기 위해 반대편에 있는 더 높은 산인 와이나픽추

를 걸어 올랐다. 와이나픽추는 젊은 봉우리를 뜻하는데 바위 산길이
아주 좁고 위험하여 한 줄로 올라야 한다. 입장할 때 사전예약자의 여
권과 카드를 기록하고 퇴장 시 사람의 수를 꼭 확인했다.

비바람과 새벽안개가 가득한 와이나픽추 정상에 겨우 올라 발아래
뿌연 마추픽추를 내려다보았다. 초등학교 5학년 때 낡은 사진으로 보
았던 구름 속 마추픽추를 꿈꾸었던 지난 45년 시간이 생각나서 울컥
했다.

운무와 구름 사이로 서서히 모습을 드러내는 잉카제국의 전설 마추
픽추를 내려보았다. 암벽 위의 사람들은 수수께끼 같은 현실에 놀라며
환호했다. 저 멀리 우리가 올라왔던 산길 절벽 아래로 우루밤바 강이
무섭게 흐르고 있었다. 안개비가 걷히고 안데스 산봉우리에 고색창연

한 뜨거운 태양이 떠올랐다. 마추픽추가 흠뻑 젖어 떨고 있는 나를 미소로 맞아주었다.

하나하나 영혼을 담은 것같이 묵직하고 우아한 작은 돌덩이에 깜짝 놀랐다. 마추픽추 그 높은 곳 흙더미 위에 엉성하게 포개져 있는, 화려했던 태양의 도시 마추픽추. 한때는 한가락 했을 낡은 건물들은 제 몸 아낌없이 불태워 할 일을 다 했다는 듯 뚝뚝 슬픈 눈물에 젖어 있었다. 잉카제국의 유물들은 그 오랜 세월 태양과 달, 별과 비바람에 달아오르고 갈라지며 다듬어져 있었다.

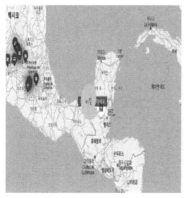

'이 높은 산봉우리에서 몇천 년을 버티며 눈부신 황혼의 빛깔이 되기까지 얼마나 힘들었을까?

세월의 흔적이 스며들어 다듬어져서 전혀 초라하지 않았다. 은은하고 당당하게 빛이 나서 편하게 보였다. 찬란하게 뿜어내는 마추픽추의

건재함이 앞으로의 나를 보는 듯했다.

작가 밀란 쿤데라는 예술가들이 심혈을 기울여 작품을 만드는 것은 후세 사람들의 기억 속에 살아있기를 바라기 때문이라고 했다. 잉카제국의 마추픽추도 마찬가지이다. 오랜 시간 잊혔을 뿐 사라진 것이 아니다. 몇천 년을 버티어 새 시대에도 불멸의 유산이 되었다.

'사람도 세월이 지나면 초라해지는 것이 아니다. 나이가 들어가는 것은 자연스럽게 익어가는 것이고 그 사람의 내적 신념과 태도에 따라 숙성하며 깊어지는 것이다. 그 존재 의미가 있고 연륜의 가치가 빛나는 것이다!'

3. 마야문명의 중심지 티칼- 과테말라

'밀림의 술래잡기 길'

중앙아메리카 과테말라는 멕시코와 카리브해에 인접한 찬란했던 마야문명의 핵심지이다. 마야문명은 콜럼버스 이전 시대의 아메리카에서 가장 거대한 제국이었고 발달한 언어 체계와 고도의 문화를 누렸다. 과테말라 플로레스는 고대 마야의 가장 오래된 도시 티칼이 있어 유명한 곳이다. 끝없는 밀림 속에 숨어있는 고대 마야의 2,000여 개의 피라미드는 마야인들이 신들을 기쁘게 해주기 위해 살아있는 생명을 제물로 바치던 제단들이다.

새벽 4시 반, 벌써 티칼 숲속 신전에는 일출을 보기 위해 사람들이 모여들었다. 깜깜한 숲속에서 깜박이는 작은 불빛과 쌕쌕거리는 거친 숨소리가 점점 다가왔다. 열대 밀림은 바람조차 숨 쉴 곳이 없었다. 어디가 어디인지 모르고 하얀 유령처럼 생긴 세이바 나무가 위협적인 모습으로 우리를 경계했다. 마야인들은 세이바 나무를 생명의 나무, 즉 우주의 나무로 여겨 신성하게 모셨다고 하는데 영험한 기운이 느껴졌다.

핸드폰 불빛을 따라 가파르고 낡은 피라미드 돌계단을 더듬으며 천천히 올라갔다. 무수한 잔별들의 끝과 끝없이 펼쳐진 밀림이 서로 닿아있었다. 여기저기 뿔처럼 솟은 6개의 신전은 세월에 삭아 푸른 이끼와 굵은 뿌리와 엉켜 옛 모습을 뽐내고 있었다. 피의 역사가 스며든 깨어지고 낡은 돌계단에 앉아서 해가 뜨기를 기다렸다. 신전의 꼭대기에서 태양의 신에게 제물이 되어 붉은 피를 흘리며 죽어간 사람들이 떠올랐다. 천년 아름다운 마야문명이 잔인한 제사장들에게 흔들리며 힘을 잃고 스스로 스페인 침략에 무너져간 모습이 그려졌다.

어둠 속 무수히 많은 별빛과 재규어들의 깜박이는 눈빛에 정신을 붙잡았다. 밀림을 지키는 맹수 자칼의 포효하는 소리에 사람들은 두려움을 세웠다. 우리를 에워싼 건장한 안내인의 장총에 의지하여도 털이 곤두서고 소름이 들 정도였다. 현지 안내인은 아주 작은 목소리로 오늘 자칼의 숨소리와 울음소리가 대단하다며 무섭게 흉내 내고 엄지손가락을 치켜세웠다. 가끔 어둠에 달려드는 섬뜩한 바람은 사냥감을 노리는 자칼의 접근처럼 느껴졌다.

"마야문명의 중심지, 드넓은 티깔의 밀림 지평선에 검붉은 운해들
이 시뻘건 해를 쥐고 펴고 숨기고 내밀며 술래잡기했다. 태양이 밀림
지평선 가운데 뾰족하게 솟은 피라미드에 걸쳐 앉아 오묘하게 변신한
다. 억울하게 제물로 죽었을 마야인들의 한바탕 한풀이 춤인 듯했다.
밤하늘 별빛 군무와 밀림의 아침맞이, 소름마저 돋았던 밀림의 일출
장관을 아직도 기억한다. 광활한 밀림을 깨우던 자칼의 숨소리와 울음
은 소심하게 웅크리고 있던 나를 깨우는 소리였다."

가을

1. 희망봉- 남아프리카공화국

'희망봉에 서면 보이는 희망의 길'

희망봉은 남아프리카 공화국 수도 케이프타운에 가까운 케이프반도의 맨 끝에 위치한다. 아프리카 대륙 최서남단 대서양과 인도양이 만나는 곳(바다로 돌출되어 나온 비교적 뾰족한 모양의 땅)으로 룩아웃 포인트라는 등대가 있는 전망대가 있고 반도의 최남단인 희망봉이 내려다보인나. 심한 폭풍우 속에서 발견했다고 하여 이곳을 '폭풍의 곳'이라고 명명하였다가 '미래의 희망'을 시사하는 뜻에서 '희망봉'으로 개명하였다.

8월 말, 맑은 날인데도 이렇게 찬바람이 드센 걸 보니 가히 태풍 곶이라 부르는 이유를 알 것 같았다. 모두를 삼킬 듯이 거칠고 세찬 바람이 연신 희망봉을 휘감았다. 깎아지른 절벽을 곁으로 구불구불 산책길이 있고 저 아래 거친 파도들이 포효한다. 신대륙을 찾으려고 몇 년에 걸친 험한 뱃길에 지친 사람들의 배들을 수없이 쓰러뜨린 물살들이다.

거친 대서양 바닷길에 죽어가는 동료 선원들을 지켜보며 자신을 포기해 갈 때 희미하게 보였을 저 낡고 작은 등대를 생각했다. 격랑의 파도 사이 누군가의 간절함과 생명이 되었을 불빛이다.

다리가 후들거릴 정도의 바람에도 사람들은 이정표 아래에서 환호와 박수를 하며 인증 사진을 찍었다.

'런던 9,623km, 뉴욕 12,542km, 뉴델리 9,296km---'

희망봉의 두 가지 이름을 떠올린다. 누군가에게는 폭풍의 곶이라 불리며 절망이 되었고, 누군가에게는 희망의 곶이라 불리며 미래가 되었다. 우리들의 삶도 마찬가지이다. 아프리카 대륙 맨 끝은 마지막이 아니라 시작이 되어 세계 어디로든 향할 수 있다.

가끔 삶이 버거워 숨이 막히고 생각이 흩어질 때는 희망봉이 그립다

바람은 버티어 나가는 존재의 의미를 부여하고, 등대는 희망이 되어 인생은 살만하다고 하고
낡은 이정표는 세계 주요 도시로 가는 새로운 길을 열었다

희망은 찾는 사람에게 있는 것이다.

2. 청계천 길너머 한강변 길 - 서울

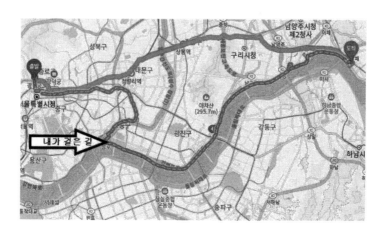

'새롭고 낯선 길'

청계천은 서울 시내의 모든 물이 광화문역 옆 청계천에 모여 흐르는 물길이다. 청계천 물줄기는 동쪽으로 흐르다가 왕십리 밖 살곶이 다리 근처에서 언니 중랑천과 합쳐진다. 더 큰 물줄기가 되어 서쪽으로 흐름을 바꾸어 엄마 같은 한강으로 안기는데 총길이는 10.84㎞이다.

대도시 서울의 금요일 밤 8시는 화려하고 번잡스럽지만, 사람들은 모두 즐겁고 행복하게 보였다. 한적한 청계천 수변 길에서 조명이 환한 빌딩에 아직도 일하는 사람들이 환히 보였다. 어두운 구석에서 남의 집 내부를 보는 듯한 이상한 기분이 들었다.

'신나게 즐기고, 열심히 일하고, 길을 찾으며 걷는 청계천!'

도심 한복판 수변 길을 고고한 자태로 서 있는 백로, 황조롱이, 왜가리에게 눈이 휘둥그레졌다. 큰 소리로 이야기하는 사람들과 사진 찍는 사람들의 모습에도 아랑곳하지 않고 있었다. 이곳 청계천은 나의 영역이고 너희들은 이방인이라는 듯 태연하게 자신들의 일에 집중하고 있었다. 이곳은 원래 그들의 영토였는지도 모른다. 나도 내 것이 아닌 곳에 두리번거리고 있는지도 모른다는 생각이 들었다.

천천히 쉬며 얼마 걷지 않은 것 같은데 벌써 청계천 끝인 살곶이 다리가 나오고 서울의 숲과 가평을 가리키는 이정표가 눈에 들어온다. 내일이 주말이라 그런지 걷고, 마라톤하거나 자전거를 타는 사람들이 무척 많았다. 주말 새벽 열심히 움직이며 하루를 앞서는 사람들에게 힘을 얻었다.

'지금 이곳을 걷지 않았다면 나는 무엇을 하고 있었을까?'

가보지 않은 초행길이지만 한강의 정돈된 모습들이 전혀 무섭거나 낯설지 않았다. 속도를 내는 자전거의 불빛이 가로등이 되어 가야 할 곳을 가리키고 있었다. 서울 숲과 뚝섬, 광진교 모퉁이를 지났다. 구리 시민 공원 드넓은 벌판에 진한 향기들이 밤을 환히 채우며 기다리고 있었다.

하얗고 노란 들국화, 코스모스 꽃밭을 비추는 불빛이 어찌나 환한 지 평창 메밀밭에 있는 줄 알았다. 다음 주 있을 코스모스 축제를 앞두 고 메리골드, 백일홍, 맨드라미, 목화가 구역별로 고운 모습으로 사람 들을 기다리고 있었다. 가을 햇살을 듬뿍 받은 싱싱한 꽃에게 기운을 얻었는지 몸이 가벼워졌다.

끝없이 펼쳐진 강변길을 거슬러 걷다 보니 회색의 한강에서 물안개 가 피어오르기 시작했다. 남행원 화백의 서정리 물안개라는 수묵화처 럼, 물안개가 강 건너 시커먼 산등성이를 휘감고 있었다. 어느 사이 숨 어있던 뻘건 해가 산 너머로 모습을 드러내고 있었다.

토요일 새벽, 벌써 서울로 향하는 전철이 사람들을 가득 실은 채 힘 차게 내달리고 있었다. 이른 시간에도 덕소역 주변의 허름한 국밥집 에 얼굴이 환한 사람들이 많았다. 저들은 밤새 자전거로, 나는 걸어서 서울을 빠져나온 사람들이다. 헐렁해진 마음과 무거운 다리 때문인지 따뜻한 해장국이 참 맛있었다. 빨간 선지를 보자 기운이 났다. 투박한

뚝배기에 한가득 있는 걸쭉한 시래기에 왜 엄마 생각이 났는지 모르겠다.

덕소역에서 아침 7시 반 용산행 전철을 탔다. 광화문에서 전철로 한 시간 반이면 될 길을 혼자 밤새 걸었다. 나는 길을 서성거리거나 잃은 것이 아니다. 낯선 불빛에 용기를 내어 새로운 길을 찾아 나선 것이다. 고이 저물어 가는 인생길도 서두르지 않고, 멈추지 않고 이렇게 걸을 것이다.

겨울

1. 고근산 올레길 7-1코스 - 제주

'제주라는 아름다운 치유의 길'

제주 올레길은 걷기 좋은 길을 찾아 연결하고, 끊어진 길은 새로 내면서 총연장 437㎞, 27개 코스이다. 모두 완주하려면 보통 한 달 정도 걸린다. 올레는 골목길을 뜻하는데, 제주와 세계를 연결하는 길이 되었으면 하는 바램을 담아 제주올레라는 이름을 붙였다고 한다.

나는 1코스에서 시작하였으나 여름과 겨울 방학 중에 며칠 동안 걸을 수밖에 없었다. 서두르지 않고 제발 멈추지 않고 완주하기를 목표하였고 약 2년의 세월이 걸렸다. 마지막으로 7-1코스인 서귀포 버스

터미널에서 출발하여 고근산 길을 거쳐 제주 올레 여행자 센터까지를 걸어 제주 올레길을 완성할 수 있었다.

1월 서울은 영하 10도라는데 고근산 길은 소박한 동백꽃 터널이 계속 이어진다. 서울에서 주렁주렁 매달린 감들이 꽃이라고 생각하였는데 제주의 감귤들도 모두 꽃들이다. 귤나무 밑에 수북이 버려진 귤을 주워 맛있게 먹으며 여유를 느낀다. 여행 온 사람들의 다양한 모습들을 살피며 상상을 즐기고, 깊은 숲속 곶자왈의 숨소리가 스며든다. 따뜻한 바닷바람에 활짝 웃는 돌담 밑의 꽃들을 보며 제주라는 아름다운 길에 빠져들고 있다.

푸른 바다와 서귀포시, 한라산을 모두 품은 고근산 길이다. 하늘이 보이지 않는 어두운 숲속은 온통 연두 이끼들과 고사리 세상이다. 저 건너 둥근 한라산 하얀 눈도 구름 같다. 고근산 정상에 오르니 시야가 확 트여 눈앞에 하늘색 바다에 둥근 섬들이 한눈에 보인다. 올레길 옆 검은 돌담 밭에는 파릇파릇한 겨울 마늘 넓적한 줄기들이 바람에 흔들리며 쑥쑥 자라고 있었다. 바닷바람이 세게 불수록 뿌리는 더 강해지고 마늘은 더 단단해질 것이다. 나도 제주의 길을 걸으며 더 여유롭고 단단한 모습으로 나름어시셌시

드디어 오늘 걷기의 마지막 도착지인 서귀포 올레 여행자 센터에 도착했다. 접힌 마음이 펴지고 온몸이 뻗어나가며 뭔가 해낸 것 같다.

'425km 제주 올레 완주자의 벽'에서 완주증과 메달을 받으며 사진을 찍고 모르는 사람들의 축하를 받았다. 우리는 모두 제주 올레꾼이라는 연대가 전해진다.

작년 서울 둘레길 156.5Km 완주의 기쁨이 더해진다. 목표를 끝까지 달성하여 받는 완주증은 열심히 공부하여 기대하는 성적표를 받은 것처럼 정말 기쁘다. 내가 사랑하는 제주의 올레길이 덤처럼 준 선물이다.

내일은 함덕 서우봉에서 새해를 맞이할 것이다.

해가 일어선다
또 다른 한 해가 열린다
마음이 꿈틀거린다

내가 움직인다
다시 시작이다

해가 솟는다
꿈이 나선다
내가 나아간다

2. 페트라 - 요르단

'딸과 함께 걸었던 붉은 바윗길'

어릴 적 '김찬삼 세계 여행기' 어디쯤인가, 사막이 끝나는 절벽 끝 낭떠러지의 붉은 유적 도시 사진을 본 적이 있었다. 이런 곳이 어디인지 이름조차 모르고 잊고 있다가 1989년인가 영화 인디아나 존스- 최후의 성전을 보며 그곳이 페트라임을 알았다. 어릴 적 잊어버렸던 친구를 찾은 것처럼 너무나 기뻤다. 영화에서 본 페트라 카즈네피라움 신전의 황홀한 나이트를 상상하고 미남 해리슨 포드의 웃는 모습을 떠올리며 피곤함을 잊곤 했다.

딸은 얼마 전 방영한 드라마 미생의 마지막 배경이 된 페트라 알카즈네의 나이트 장면이 너무나 인상 깊어 페트라 길을 걷고 싶어 했다.

드디어 이번 24년 1월 딸과 함께 이집트를 거쳐 요르단 와디럼 사막을 지나 페트라 걷기를 하게 되었다.

중동 요르단에 있는 페트라가 정확하게 언제 건축되었는지 정확하지 않다. BC1세기에 나바티안 왕국의 수도였고 사막의 오아시스 도시로서 중개무역과 교통의 요지인 화려한 도시를 세웠다고 한다. 페트라는 붉은 돌산 색깔 때문에 '붉은 장미의 도시'로 알려졌다.

페트라의 알카즈네는 하나의 거대한 사암 절벽을 통째로 깎아 만든 세계 7대 불가사의 유적 중의 하나이다. 높은 암벽 사이 좁은 협곡 형태의 시크라는 암벽길 끝에 그 유명한 알카즈네가 보였다.

단체관광객들이 지나고 배낭을 메고 지팡이를 짚어 기우뚱거리며 혼자 걷고 있는 노인을 보았다. 진중한 표정으로 바위들을 만지며 찬찬히 살피는 모습이 어찌나 애틋한지 주변에서 한참을 지켜보았다.

'나도 저렇게 나이가 들고 몸이 불편해도 혼자 먼 곳으로 즐겁게 여행을 다니며 자유롭게 살고 싶다. 그럴 수 있을까?'

페트라에는 8개의 트레킹 길이 있는데 오늘은 수도원 가는 길을 걸었다. 협곡 사이 돌계단이 많고 경사가 불규칙했지만, 오랜 세월에 낡은 계단을 걷는 것이 좋았다. 시간이 오래 걸리고 당나귀 오물 냄새가 꽤 심하여도 다른 볼거리가 많았다.

지저분한 노점상들이 많았는데 호객 행위가 재미있다. 어린 소녀는 남녀 커플을 보면 영어로 멋진 사진을 찍는 곳이 있다며 손을 잡고 이끈다. 멋진 포즈를 취하게 하여 사진을 여러 장 찍어주고 최고라며 호들갑을 떤다. 대부분 커플은 팁을 주거나 소녀의 어머니가 파는 석류 주스를 사 먹으며 사진을 마음에 들어 했다. 저렇게 영리하게 돈을 버는 어린 소녀를 지켜보며 글씨는 아는지, 학교는 다니는지 궁금해졌다. 캄보디아, 인도의 어린이들이 가족들의 생계를 위하여 학교는 안 가고 구걸이나 물건 파는 일을 하는 것을 자주 보았기 때문이다.

해가 저 멀리 내려가고 점점 어두워지는 페트라의 붉은 바위산에 황금빛 노을이 내릴 준비를 하고 있다. 페트라가 온통 장밋빛이라 눈이 부셔 바라볼 수 없을 정도라고 하더니 수긍이 갔다. 딸과 나는 페트라 협곡이 훤히 보이는 바위에 걸터앉아 커피를 마시며 여유롭게 이야기했다.

딸은 지난해 즐겨 보았던 드라마 미생 요르단 장면의 명대사 유튜브를 보여주며 자기 인생을 말했다. 나는 초등학교 5학년 때 고물 리어카에서 강냉이와 바꾼 우리나라 최초의 세계 여행가인 김찬삼의 책에서 찾아낸 내 일생의 여행 버킷리스트인 마추픽추와 페트라, 피라미드를 설명했다. 그리고 너희들을 다 키우고 그토록 길을 걷는 이유와 의미를 풀어 놓았다.

"엄마는 언제나 뭐든 해보라는 말을 하며 응원을 해주어 참 고마워"
"딸아, 당당히 마음껏 누리며 살아라"

이제 엄마를 이해할 수 있다며 이제 함께 길을 걷자고 말했다. 가장 가까이 나의 모든 것을 알고 있는 딸에게 이런 말을 듣다니 울컥하며 지나온 시간이 의미가 더했다.

딸의 고민과 사회에서 겪는 어려움을 들으며 인생을 더 살아낸 어른으로, 같은 길을 먼저 걸은 직장 선배로서 미안하고 부끄러웠다. 30 중반의 딸이 어린것 같아 늘 걱정이 많았는데 논리적이고 다부진 인생 계획을 들으며 안심이 되었다. 젊은이들의 희망이 이루어지는 살기 좋은 세상이 되었으면 좋겠다.

나보다 몇 배 더 능력 있고 용기 있는 딸과 젊은이들의 날개를 펴주고 싶었다. 어떻게 하면 좋을지 많은 생각이 들었다.

그리고 내년 1월 뉴질랜드 밀포드 트레킹을 함께 하기로 했다. 10년 전 와이나픽추 하산길에 밀포드 트레킹을 극찬하는 말을 들었다. 세계에서 가장 아름다운 산길이라 부르는 영화 반지의 제왕 촬영지인 밀포드 산길을 걷는 것을 꿈꾸었다. 45년 전 마추픽추와 페트라를 꿈꾸어 이루어 낸 것처럼 10년이 지난 이번에도 그럴 수 있을 것이다.

'지구는 참 넓고 세상은 꿈꾸고 도전하는 사람 것이다.'

새로운 것들을 보면 궁금한 것들이 많아지고 공부를 더 많이 해야겠다는 생각이 더 많이 든다. 그래서 낯선 곳을 여행하고 새로운 사람들 만나는 것이 즐겁다. 순식간에 지나간 시간이 펼쳐지고 나는 자유롭게 움직이며 점점 커진다. 길에 집중하여 걸을 때면 좋은 사람들이 생각나며 뭉클해진다. 그리고 더 새로운 길을 걷고 싶다는 도전을 하게 된다.

나는 길 위에서 뜨겁게 살아왔음을 확인했다.

사람이 먼저인 좋은 세상을 위해 어디서든 나잇값을 하는

선한 어른이 되려고 애쓴다.

직장 생활 41년 동안 우리 더불어 함께라는 약속을 지키려 노력했다.

빨래는 얼면서도 마르고 봄은 소리 없이 우리에게 온다.

나의 오늘은 처음이자 마지막 날이다.

세상은 매일 달라지며 낡아가고, 제자리이고, 나아지고 있다.

나는 지금 어디쯤인가?

세상에 의미 없는 것은 하나도 없다.

그냥, 그러는 것이 아닌,

낯설지만 새롭고 가슴 뛰는 길을 찾아 걷고 싶다.

꺼내지 못한 내 마지막 진심

배가은

배가은 불확실한 미래 속에서 고민하고 아파하는 대한민국의 평범한 청춘이자 대학원생이다. 이공계열이기 때문에 평소 문학적 글을 접할 기회가 많이 없지만 말재주가 없다보니 말보다는 글로 생각을 전하는 것을 선호한다. 새로운 도전을 좋아한다. 남들이 가지 않았던 길을 걷고 싶다.

사람들 간의 관계를 소중하게 여긴다. 인생이란 결국 타인과의 관계 속에서 나를 찾아가는 여정이라고 생각한다. 소설은 다양한 인물 간의 관계 속에서 무언가를 정의해 나가는 것이기 때문에 우리의 인생과 무척이나 닮아 있다. 소설을 통해 다시는 돌아오지 않을 내 인생의 지금 한 페이지를 기록하고 싶다.

그날도 한강 대교는 어김없이 퇴근길에 오른 차들로 북적였다. 퇴근길의 설렘과 함께 자신을 기다리고 있을 누군가의 얼굴을 각자의 가슴 속에 한껏 품은 채, 한강 대교 위의 차들은 어딘가를 향해 빠르게 질주하고 있었다. 하지만 한강 대교 위 모두가 목적지를 가지고 있는 것은 아니었다. 번쩍이는 차들의 헤드라이트가 미처 닿지도 못할 외진 곳에서, L은 강 아래를 하염없이 내려다보고 있었다. 그의 몸은 당장이라도 강에 뛰어들어갈 것 같이 난간에 위태롭게 걸쳐져 있었다. 마치 삶의 마지막 순간을 맞이하는 사람 마냥, 그렇게 L은 한강 대교 위에 홀로 서 있었다.

당신은 삶의 끝자락에서 누군가의 얼굴을 떠올리겠는가? 혹자는 소중한 친구, 혹자는 사랑하는 연인, 혹자는 부모님을 떠올릴 것이다. 하지만 L에게는 지금 그 어떤 이의 얼굴도 떠오르지 않았다. 설막암에 꽉 움켜쥔 휴대전화 속에는 수많은 연락처가 저장되어 있지만 그 중에 L이 마음을 둘 곳은 어디에도 없었다. 학창 시절 항상 붙어 다녔던 소꿉친구 P는 어른이 되자 자신만의 삶을 찾아 떠났다. 대학 시절 서로 죽고 못 살았던 남자친구 K는 이미 남보다 못한 사이가 된 지 오래다. 그리고 부모님. L은 그 이름만 들어도 가슴이 뭉클해져 오는 동시에 답답해져 왔다. 혈연이란 죽기 전까지 절대 끊어지지 않는 연이라 했던가. 우리는 그것을 인연 혹은 악연으로 부른다. 인연과 악연, L에게 부모님은 그런 존재였다. L에게 세상에 둘도 없는 인연을 선물해준 그는, 이제 이 세상에 없다. 남은 이는 혈연이라는 족쇄를 안겨준 사람뿐. 삶과 죽음의 기로에 서 있는 지금조차 도저히 연락할 엄두가 나지 않는 그, 그가 이제 L에게 남은 유일한 혈연이었다.

대교 아래에서 일렁이는 강물은 심란한 L의 마음을 더욱 울렁이게 했다. 그것은 마치 내게로 뛰어들어 이 고통에서 벗어나라고 손짓을 하는 것만 같았다. 한참을 강 아래를 내려다보던 L은 그 부름에 응답하여 홀린 듯이 난간을 한 칸씩, 한 칸씩 밟으면서 올라갔고, 곧이어 난간의 맨 꼭대기에 이르렀다. 그대로 몸을 강 아래로 던지려던 찰나, L의 눈앞에 자신을 집어 삼켜버릴 듯이 요동치는 시커먼 강물이 그제서야 가득 펼쳐졌다. 헉! 그 모습에 압도당한 L은 반사적으로 난간에서 떨어져 나왔다. 다리가 모두 풀려 버려 L은 제대로 서 있지도 못했다. 그렇게 난간을 붙잡고 주저 앉아 있기를 한참, 갑자기 서러움이 휘몰아치듯 몰려와 L을 감쌌다. 어쩌다 상황이 이 지경까지 오게 된 걸까? 누가 자신을 여기까지 몰아낸 걸까? 원망의 화살을 돌릴 누군가를 찾는 L에게 오늘 하루의 기억이 마치 주마등처럼 쏟아져 내렸다.

EP 1. 최악의 하루

그날의 시작은 여느 때와 다름없이 아주 평범했다. 이른 아침에 L은 어김없이 자신의 자취방에서 눈을 떴다. 눈을 떴음에도 방 안은 여전히 깜깜했다. 시끄럽게 울리는 알람 소리가 아니었다면 자신이 여전히 꿈 속에 있다고 착각했을 정도였다. 아직 하루를 시작할 시간이 되지 않은 것인지, 아니면 아침 햇살이 반지하의 방까지 미처 도달하지 못한 것인지는 알 수가 없었다. L은 분명 이 어둠이 낯설지가 않았다. 어젯밤에 퇴근을 하고 막 집으로 돌아왔을 때도 비슷한 어둠이 자신을 맞이했기 때문이다. 전날의 고단함이 아직 가시지 않았는데 야속한 시간은 벌써 새로운 하루의 시작을 알린 것이었다. 왠지 모를 억울함이 몰려와 L은 자신을 깨운 핸드폰의 화면을 괜히 몇 차례 꾹꾹 누르면서 화풀이를 했다. 그렇게 하찮은 반항을 한바탕 하고 난 후, L은 피로를 고스란히 묻힌 채 침대에서 일어나 대충 아무 옷이나 주워 입고 터덜터덜 집을 나섰다.

L은 대학원생이다. 여느 대학원생과 마찬가지로 L의 일상은 단조로움 그 자체다. 논문을 읽고, 실험을 하고, 가끔씩 주어지는 잡무를 처리하고 나면 또다시 실험을 하러 가는, 그런 일상이 매일 반복된다. 단조로운 일상에서 오는 지루함노 지루함이지만, 그 속에서 나지막이 피어나는 막연한 불안감은 L의 일상을 옥죄는 족쇄로 다가왔다.

학생으로 불리기에는 이미 너무 많은 나이인데다가 사회의 시선도 '진짜' 학생일 때와는 또 다르다. 그렇다고 직장인이라고 하기에는 그만큼 많은 돈을 벌지도 못한다. 그렇게 법적 노동자로 인정받지도 못한 채, 학생과 직장인 사이 어딘가에 애매하게 위치한 삶은 항상 불안정할 수밖에 없다. 애매한 사회적 위치만큼이나 L을 불안하게 만드는 것은 바로 기약 없는 미래였다. 이 상태를 벗어나려면 대학원을 졸업해야 하지만, 언제 졸업할지 심지어는 졸업을 할 수 있을지 여부조차 알 수 없는 것이 현실이다. 그 불확실성을 견디지 못하고 직장인처럼 퇴사를 하고 떠나기에는, 이미 다 찰 대로 차버린 나이지만 사회적으로는 이룬 것이 하나도 없는 탓에 다른 곳으로 갈 수조차 없다. 그렇기에 학위를 받기 전까진 이 악물고 이 불안함과 싸울 수밖에 없는 것이 바로 대학원생의 삶이다.

모두들 비슷한 상황이다 보니 하루 중 연구실에서 동료들과 대화하는 시간도 거의 없다. 다들 자기 실험을 하느라 바쁘지 남을 돌볼 여유 따윈 없는 것이다. 그렇기 때문에 사람보다는 시끄럽게 돌아가는 기계들 속에서 온종일을 보내는 일이 잦으며, 사람의 언어가 아닌 데이터와 숫자를 입력하며 기계와 소통하는 것이 하루 대화의 전부이다. 기쁨이나 슬픔 같은 인간적인 감정보다는 그래프와 수식 같은 이성적인 표현만이 허용되는 세상이 바로 이곳 연구실이다.

대학원생의 목표는 결국 실험했던 데이터를 모아 논문을 쓰는 것이다. 바로 어제도 L은 그 논문 때문에 늦게까지 연구실에 남아 있어야 했다. 처음에는 인생 첫 논문을 쓴다는 기쁨과 지금껏 고생한 것을 청산한다는 기분 때문인지 L은 뜨거운 열정으로 가득 차 거의 매일 야근을 할 정도로 열심이었다. 하지만 그 노력이 무색하게도 날이 갈수록 늘어가는 사수와 교수님의 지적은 그 열정을 차갑게 식힐 뿐이었다.

그날도 L은 여느 때와 다름없이 출근을 하자마자 교수님으로부터 호출을 받고 교수님 방으로 불려 갔다. 불려간 교수님의 방 안에서는 오랜 시간 동안 숨 막히는 정적만이 가득 했다. 교수님은 그 어떤 말조차 하지 않은 채 논문을 보면서 고칠 부분을 빨간색으로 묵묵히 표시했다. 그 앞에 앉은 L도 숨소리를 죽인 채 책상 아래에서 애꿎은 손톱만 괜히 잘근잘근 뜯었다. 바로 어제 고친 부분이 빨간색으로 바뀔 때면 더욱더 가시방석이 되어 교수님의 눈치를 살폈다. 어제 밤새도록 쓴 논문은 금세 빨간 줄로 가득 찼다. 1분이 1시간 같았던 길고 긴 시간이 지나고, 드디어 긴 침묵을 깬 교수님은 짧은 한숨과 함께 딱 두 마디를 내뱉었다.

"다시 고쳐와라. 그리고 네 사수를 불러와라."

차라리 화를 내셨다면 L의 마음이 이 정도로 불편하지는 않았을 것이다. 그렇게 받아주는 사람은 관심도 없어 하는 인사를 꾸벅 하며 교수님 방을 나선 L은 그 어느때보다 무거운 발걸음으로 연구실로 돌아가 사수에게 교수님의 말을 조심스레 전했다.

L에게 교수님의 전언을 전해 듣고 연구실을 밖을 나섰던 사수는 이내 한껏 예민해진 채 연구실로 돌아왔다. 아무래도 교수님 방에서 제대로 깨신 모양이었다. 사수는 꽹상히 날카로운 목소리로 L을 부르고는 곧바로 실험실로 데리고 갔다. 교수님께서 논문 데이터가 엉망이라며 사수에게 책임지고 추가 실험을 시키라고 지시하셨던 모양이었다. 실험실에서도 사수는 잔뜩 심술이 난 채로 끊임없이 궁시렁댔다. 그것

도 모자랐는지 실험을 하는 내내 사소한 일로 꼬투리를 잡아 L에게 화풀이를 했다. 장갑을 똑바로 껴라, 플라스크를 깨끗이 씻어라, 샘플을 조심히 내려놔라 등등.

엎친데 덮친 격으로 마음이 너무나도 불편했던 L은 오늘따라 유독 실수도 많이 했다. 그럴 때마다 사수는 불같이 화를 내며 L을 더욱더 주눅들게 만들었다. 그렇게 사수의 예민함에 지칠 대로 지쳐가며 진행하던 실험도 어느새 막바지에 이르렀다. L은 마지막으로 만들어 두었던 샘플을 꺼내기 위해 샘플이 모여 있던 선반 쪽으로 발걸음을 옮겼다. L이 평소와 같이 대수롭지 않게 선반에 손을 가져다 댄 그 순간, 선반이 불길한 소리를 내면서 기울기 시작했다.

"와장창!"

찰나의 순간, L이 미처 손쓸 새도 없이 선반 위에 있던 샘플들은 그대로 바닥에 떨어지면서 산산조각이 나버렸다. L의 샘플뿐만 아니라 연구실 동료들이 그동안 만들었던 모든 샘플들이 한번에 사라진 순간이었다.

인생에 있어서 최악의 순간은 한꺼번에 찾아온다고 했던가. 아마 L의 오늘이 바로 그 순간이었을 것이다. 샘플이 깨지는 소리가 요란하게 온 실험실에 울려 퍼지자, 무슨 짓이냐고 고래고래 소리를 지르는 사수 뒤로 연구실 동료들이 화들짝 놀라 실험실 문을 열고 들어왔다. 문을 열자마자 눈앞에 펼쳐진 참상에 연구실 모든 동료들이 너도나도 우르르 실험실로 몰려왔다. 샘플이 깨져버린 동료들은 바닥에 주저 앉아 어쩔 줄을 몰라 했고, 샘플이 무사한 동료들은 그런 그들을 매정하게 등진 채 안도의 한숨을 내쉬면서 자신의 샘플을 안전한 곳으로 옮기기 바빴다.

그 아수라장 가운데서 L은 멍하니 서서 바닥에 주저 앉아 있는 동료들을 바라만 봤다. 몸이 한 순간 얼어버려서 아무것도 할 수가 없었던 것이다. 그렇게 L이 이러지도 저러지도 못하고 있는 사이, 어느 순간 마치 약속이라도 한 것 마냥 모든 동료들이 눈이 일제히 L을 향하고 있었다. 동료들의 그 원망 섞인 눈초리를 받자 그제서야 L은 온몸의 머리털이 곤두서는 느낌과 함께 퍼뜩 정신을 차렸다. 바로 죄송합니다를 연신 외치며 깨진 샘플을 정리하기 위해 무릎을 꿇은 채 바닥을 향해 손을 뻗었다. 그때, 커다란 유리 조각 하나가 L의 손에 박혔다. 악! 외마디 비명과 함께 L의 손에서 붉은 피가 흘러내렸다. 하지만 L의 손에 피를 보고도 동료들의 눈초리는 싸늘하기 그지없었다. 그들은 L의 손 상태는 전혀 아랑곳하지 않은 채 저마다 자기 신세를 한탄하기 바빴다. 졸업이 곧인데 샘플이 망가져 버렸다는 둥, 얼마나 힘들게 만든 샘플인지 아냐는 둥, 온갖 사연들이 실험실을 가득 메웠다. 그 무관심 속에서 L은 다친 손보다도 마음이 더 쓰려 왔다.

L은 동료들의 수많은 원망을 뒤로 한 채 다친 손을 치료한다는 명목으로 도망치듯 연구실을 빠져나왔다. 손을 치료하고 나서도 L은 쉽사리 연구실로 돌아가지 못했다. 힘침을 연구실 밖을 서성거리던 L은 그 길로 바로 예정되어 있던 조교 일을 하기 위해 옆 건물 실험실로 향했다. 조교 일은 대학 학부생들에게 실험을 가르치고 보조하는 일이었다. L은 조교 일이 썩 잘 맞았다. 눈을 반짝이며 자신의 설명에 따라

일제히 움직이는 학생들을 볼 때면, 대학원 생활에서 느끼기 힘들었던 보람 비슷한 것을 느꼈다.

하지만 그날은 큰 사고를 쳤다는 걱정 때문에 L은 유독 조교 일에 집중을 할 수가 없었다. 학생들에게 대충 설명을 해주고 알아서 실험을 해보라고 맡겨 놓은 뒤, 맨 앞자리에 앉아서 학생들이 실험하는 것을 그저 멍하니 바라봤다. 텅 비어 있던 머리는 시간이 흐르자 점점 수많은 생각들로 가득 차기 시작했다. 지금쯤 연구실에서는 무슨 일이 벌어지고 있을까? 그렇게 큰 대형 사고를 쳤으니 교수님 귀에 그 소식이 들어가지 않았을 리가 없다. 안 그래도 자신을 고깝게 보시는 교수님이었는데 이번 일로 완전히 눈 밖에 났을 것이다. 멀리 갈 필요도 없이 사수도 지금쯤 연구실 동료들에게 신나게 자기 욕을 하고 있을 것이다. 그야말로, 최악이었다.

L은 진지하게 연구실을 떠나야 하나 고민했다. 하지만 연구실을 떠난다 하더라도 마땅히 갈 곳도 없었다. 말 그대로, 이 세상에 혼자 남겨진 기분이었다. 그 기분을 아는지 모르는지 L의 앞에 있는 학생들은 잔뜩 신난 채로 자기들끼리 깔깔 웃으면서 실험을 하고 있었다. 그 웃음소리에 L은 잡생각을 잠시 멈추고 학생들을 바라봤다. 그들은 자신과는 다르게 생기가 넘쳤다. 얼굴에는 그 어떤 근심걱정도 없었다. 그렇게 파릇파릇한 20대 초반의 그들을 바라보고 있으니, 왠지 모르게 L은 학창 시절 친했던 자신의 친구 한 명이 떠올랐다.

EP 2. 나의 우상이었던 너에게

P와는 고등학교 시절 처음 만났다. 조용한 성격의 L과 달리 P는 굉장히 활발한 성격이었다. 모두가 어색한 고등학교 입학식날, P는 혼자 잔뜩 신이 나서 처음 보는 친구들에게 여기 저기 말을 걸고 다녔다. L은 그런 P가 부담스러웠다. 쉴새 없이 수다를 쏟아내는 P가 심지어는 시끄럽다고 느낄 정도였다. 입학식 첫날부터 L은 자신과 물과 기름처럼 전혀 맞지 않는 P와 친해질 일이 절대 없을 거라고 굳게 믿었다. 하지만 인연은 따로 있다고 했던가. 굉장히 의외의 사건을 통해 L과 P는 서로 가까워지게 되었다.

당시 L은 특이한 취미를 가지고 있었다. 바로 병뚜껑을 모으는 것이었다. 단순히 병뚜껑을 모으기만 하는 것이 아니라 그것으로 어떤 작품을 만드는 것에 몰두하고 있었다. L이 이런 독특한 취미를 가지게 된 계기는 단순했다. 사업을 하시는 L의 부모님은 술자리에 참석할 일이 많으셨는데, 어린 L을 혼자 집에 둘 수가 없어 종종 그 자리에 L을 데리고 가기도 했다. 그때마다 L은 구석에서 홀로 부모님의 일이 끝나시기를 하염없이 기다려야만 했다. 그 기다림의 시간이 고역이었던 어린 L은 어느 날 자신의 눈 앞에 굴러다니는 소주 병뚜껑 하나를 주워 속지 무던을 이리저리 구부리며 심심함을 날랬다. 단순히 구부리는 것에 그치지 않고 이번에는 그것으로 글자와 모양을 만들었다. 그게 꽤 재밌었던 L은 그때부터 병뚜껑을 모아 그것으로 다양한 작품을 만들기 시작했다. 이른바 '병뚜껑 아트'에 빠지게 된 것이다.

지금이야 업사이클링 아트니 뭐니 하면서 병뚜껑 아트가 굉장히 높게 평가받고 있지만, 그 당시만 하더라도 이는 흔하지 않은 취미였다. 심지어 가끔씩은 병뚜껑을 얻기 위해 혼자 몰래 쓰레기통을 뒤져야만 했다. 그만큼 다소 부끄러운 취미였기에, L은 자신의 요상한 취미를 뒤에 숨어서 몰래 즐겼고 이를 남들에게 알리기를 극도로 꺼려했다. 하지만 모순적이게도 마음 한편으로는 자신이 열심히 만든 작품을 세상 밖으로 꺼내고 싶기도 하였다. 그래서 L은 고등학교 시절부터 자신의 작품 중 베스트라고 생각되는 것을 가방의 저 한구석에 매달고 다니기 시작했다. 단순히 자기 만족을 위한 일이었지만 이로 인해 예기치 못한 사건이 터져버렸다.

때는 입학식으로부터 일주일 뒤, L은 평소와 같이 등교를 하고 반에 들어와 자신의 책상에 앉았다. 교실 앞에서는 P가 반 친구들과 함께 시끄럽게 수다를 떨고 있었다. 그날따라 그것이 다소 거슬렸던 L은 인상을 찌푸리면서 그들을 애써 무시하고는 가방에서 교과서를 꺼내 1교시 수업을 준비했다. 그러길 한참 뒤, 실컷 수다를 떤 P가 만족스러운 얼굴을 한 채 자신의 자리로 발걸음을 옮겼다. 공교롭게도 P의 자리는 L의 바로 뒷자리였다. 그때, 갑자기 P가 L의 자리에서 걸음을 멈추었다. 그러더니 허리를 숙여 바닥에서 무언가를 주웠다. P에게 딱히 관심을 가지지 않고 있던 L도 자기 자리 바로 옆에서 P가 그런 돌발 행동을 보이자 자신도 모르게 P가 주운 그것에 시선을 고정했다. 그런데, 이게 무슨 일인가? P가 손에 든 그것은 바로 자신이 만든 병뚜껑 작품이었다! 그날따라 가방을 다소 거칠게 내려놓은 탓인지 아니면 병뚜껑을 매달아 놓은 끈이 헐거워진 탓인지, L의 병뚜껑이 바닥에 떨어져 있었던 것이다. 오지랖 넓은 P가 그것을 놓칠 리가 없었다. 당황한 L은 아랑곳하지 않은 채 P가 큰소리로 외쳤다.

"우와, 신기하다! 이게 뭐야?"

그 순간, L은 수치심이 저 단전에서부터 올라오는 것을 느꼈다. 얼굴이 온통 시뻘게져서는 곧바로 P가 손에 든 병뚜껑을 빼앗았다. 그 수치심은 금세 분노로 바뀌었다. 평소의 L답지 않게 남의 물건에 그렇게 함부로 손을 대도 되냐고 P에게 버럭 소리를 질렀다. 그리고 나서 L은 그 길로 바로 교실 밖을 나가 화장실로 향했다. 화장실에 도착하자마자 L은 손에 든 자신의 병뚜껑을 화장실 쓰레기통에 버려 버렸다. 그래도 화가 풀리지 않아서 L은 화장실에서 한동안 씩씩대다가 1교시가 시작하기 직전에서야 겨우 교실로 돌아갔다. 교실에 들어서자마자 L은 자신의 눈치를 한껏 보고 있는 P를 본체 만 체하며 자신의 자리에 가서 앉았다. 그러고는 일과 시간 내내 절대 뒤를 돌아보지 않았다.

그렇게 시간은 흘러 어느새 하교 시간이 되었다. 하루 종일 기분이 좋지 않던 L은 종례가 끝나자마자 뒤도 돌아보지 않고 바로 자기 가방을 챙겨 교실 밖을 나섰다. 집을 향해 한참을 걸어가던 L은 누군가 자신을 부르는 소리에 그제서야 뒤를 돌아봤다. 거기엔 P가 있었다. 아직 P에게 앙금이 남아 있었던 L은 말없이 P를 한껏 째려보고는 다시 뒤를 돌았다. 사실 지금 와서 생각해보면 P가 크게 잘못한 것은 없었다. 하지만 당시 L은 자신의 치부가 드러나 버렸다는 수치심에 그 모든 원망을 P에게 돌리고 있었다. 그때, 또다시 등 뒤에서 P가 외치는 소리가 들렸다.

"미안해, 그럴 의도는 아니었어."

갑작스러운 P의 사과에 L은 일순간 머쓱해졌다. 오히려 별거 아닌 일에 그토록 화를 냈던 자신이 부끄러워지면서 P에게 미안한 감정마저 들었다. 그래도 L의 마음 한 구석에는 이상한 자존심이 남아있었다. 괜히 화난 척을 잔뜩 하다가 결국 마지못한다는 듯이 P의 사과를 받아주었다. L의 기분이 풀린 것 같아 보이자 P는 슬그머니 L의 옆으로 다가왔다. 그리고는 곧이어 자기 이야기를 L에게 조잘거리기 시작했다. 알고 보니 P의 부모님은 식당을 운영하고 계셨다. 그래서 P의 집엔 항상 다양한 종류의 병뚜껑이 넘쳐 났다고. 마냥 쓰레기인 줄만 알았던 병뚜껑이 멋진 작품으로 탈바꿈한 것이 신기했기 때문에 P가 L의 병뚜껑을 보고 그토록 오바스러운 반응을 보였던 것이었다. 그렇게 그날 하굣길에 L과 P는 처음으로 대화다운 대화를 하게 되었고 그후로 서로 급속도로 친해지게 되었다.

P와 친해지고 난 뒤 L은 마냥 상극인 것만 같았던 자신과 P의 성격이 의외로 궁합이 잘 맞다는 것을 알게 됐다. 조용한 성격의 L은 활발한 성격의 P가 재밌었다. P와 얘기를 나눌 때면 L은 항상 웃음이 끊이질 않았고, 그런 L의 반응에 P는 신나서 더욱더 활기차게 이야기를 이어 나갔다. P와 친해지고 난 후로 L의 성격도 많이 바뀌었다. 그렇게 사교적인 편은 아니었던 L은 P를 만나기 전에는 친구가 많은 편이 아니었다. 하지만 P와 같이 다니게 된 이후 L의 주변에도 친구들이 조금씩 모이기 시작했고 그들과 친하게 지내면서 점점 성격이 밝아지게 되

었다.

P와 만난 이후 달라진 점은 그것만이 아니었다. L은 자신의 취미에서도 좀 더 당당해질 수 있었다. P는 종종 자신의 식당에서 나온 병뚜껑들을 L에게 가져다 주었는데 그럴 때면 L은 그것을 멋진 작품으로 만들어내었다. 이를 본 P는 또 항상 열렬한 반응으로 L을 뿌듯하게 해주었다. 가끔씩은 L이 P에게 자신의 작품을 선물로 주기도 했는데, L의 만류에도 불구하고 P는 그것을 매번 다른 친구들에게 자랑하고 다녔다. P와 만난 후로 L은 이제 더 이상 쓰레기통을 뒤지지도, 방구석에서 혼자 병뚜껑을 바라보며 자기 만족을 하지 않아도 됐었다. P 덕분에 자신의 취미에 대한 부끄러움이 완전히 사라진 L은 자기가 먼저 나서서 자기 작품을 자랑하고 다니기도 했다. 그렇게 서로에게 좋은 영향을 하나씩 주고받으면서 둘은 고등학교 내내 함께 꼭 붙어 다녔다.

하지만 영원한 것은 없다고 했던가. 영원할 것만 같았던 L과 P의 관계도 고등학교를 졸업하고 대학교에 진학하면서부터 점점 희미해지기 시작했다. 특별히 싸운 것은 아니었다. 서로 다른 대학교에 다니게 되면서 물리적인 거리가 멀어지자 자연스럽게 연락이 뜸해진 것이다. 대학생 초반에는 시간을 내어 주기적으로 만나기도 했지만, 점차 각자의 삶이 생기게 되면서부터는 얼굴 볼 기회조차 없어지게 되었다. 꾸준히 주고받던 연락마저 대학 졸업 이후에는 서서히 끊겼다. 가장 최근에 서로 연락한 것이 벌써 몇 년 전이다. 사실 정확하게 말하자면 L이 일방적으로 연락을 끊은 것에 가깝다. 때는 L과 P가 마지막으로 연락을 했던 날로 거슬러 간다.

당시 P는 대학 졸업을 앞두고 대기업에 취업 준비를 하는 중이었다. 반면 L은 대학 생활에 적응을 못해 휴학을 하고 하루 종일 집에만 박혀 있던 신세였다. 어떻게 보면 L 입장에서 가장 최악이었던 그 시기에 P에게서 연락이 왔던 것이다. 오랜만에 이야기를 나누게 된 P는 고등학교 때와 달라진 것 없이 여전히 활기차고 재밌었다. 늘 그렇듯 P의 일상에선 스펙타클한 일이 항상 벌어지고 있었고 P는 특유의 말재주로 그 이야기를 기가 막히게 풀어 내었다. 하지만 그때와 달라진 것이 있다면 바로 L이었다. 자신의 처량한 신세 때문이었을까 L은 그날따라 P의 이야기에 고등학생 때와 같은 큰 반응을 보이지 못했다. 힘 없는 목소리로 자신의 말에 건성으로 대답하는 L의 모습에 P가 무슨 일 있냐고 물을 정도였다. 그렇게 한창 자기 이야기를 하던 P는 이번엔 L의 근황을 묻기 시작했다. 요즘엔 뭐하고 사냐, 대학 졸업은 언제하나, 졸업하고 뭐 할 생각이냐, 평소라면 전혀 문제없었을 그런 일상적인 질문이었다.

하지만 그 순간 L은 마치 고등학교 시절 P가 자신의 병뚜껑을 주워들었던 그때처럼, 괜시리 심술이 났다. 딱딱하게 잘 지낸다고 대답한 후, 담에 다시 연락하자는 P의 머쓱한 말을 뒤로 한 채 전화를 끊어버렸다. 그리고 나선 L이 P에게 먼저 연락을 한 적은 없었다.

솔직히 말하면 L은 P에게 먼저 연락을 할 수가 없었다. 고등학교 때와 마찬가지로 P가 잘못한 것은 크게 없었기 때문이다. L 자신도 그것을 충분히 알고 있었다. L은 그렇게 매몰차게 P의 연락을 끊어버린 것을 두고두고 후회했다. 그리고 자기 자신을 원망하기 시작했다. 사실

L이 고등학교 시절을 잘 보낼 수 있었던 것에는 P의 역할이 매우 컸다. L의 주변 친구들은 P의 매력에 끌려 모인 사람들이 대부분이었기에 P와 있을 때는 재밌게 수다를 떨던 이들도 P가 없을 때는 왠지 모르게 어색함이 감돌았다. 무슨 일에서든지 항상 P가 중심이었고 L은 그 옆에 붙어 있는 주변인일 뿐이었다. 대학교를 와서 P와 떨어지자마자 다시 예전의 존재감 없던 L로 돌아간 것만 보더라도 L의 인생에 있어 P가 미치는 영향력을 가늠해 볼 수가 있었다. L이 빛나는 순간은 P와 함께할 때, 그때뿐이었다. L 자신도 그 사실을 어렴풋이 알고 있었다. 그렇기에 고등학교 시절부터 L은 P를 동경했다. 가끔씩, 정말로 아주 가끔씩은 질투를 하기도 했었다. 결국 이 모든 것이 P에 대한 자신의 자격지심에서 비롯된 것임을 깨닫고 나서부터는 더더욱 P에게 먼저 연락을 할 수가 없었다.

하지만 오늘 같은 날에 L은 유독 P가 생각이 나는 것이었다. 어쩌면 P라면 오늘 자신이 겪은 상황에서 다르게 행동하지 않았을까. 특유의 당당함과 재치로 자신의 실수마저 무마하지 않았을까. 분명 P였다면 자신과는 다르게 상황을 이 정도로 최악으로 만들지는 않았을 것이라고 L은 생각했다. 조교 일을 마친 L은 연구실로 바로 들어가지 않고 근처를 돌아다니면서 연신 폰을 만지작거렸다. 그렇게 한참을 고민하던 L은 될 대로 되라는 심정으로 P에게 짧은 시시나는 메신저 하나를 보냈다. 그리고 벤치에 걸터앉아 초조한 마음으로 메신저의 1 표시가 사라지길 기다렸다. 그러길 얼마나 지났을까, 마침내 1 표시가 사라졌다.

P는 L의 메시지를 읽은 직후 바로 무슨 일이냐며 반갑게 답장을 보

내왔다. 그 답장을 본 순간 L은 그동안 쌓였던 긴장이 싹 사라졌다. P는 여전히 밝고 활기 찼으며, 항상 그래왔듯 신나게 자신의 근황과 최근에 있었던 일을 이야기하기 시작했다. L도 P의 이야기에 호응을 하며 즐겁게 대화를 이어갔다. 그 대화 속에서 L은 마치 자신이 고등학교 시절로 돌아간 것 같은 느낌이 들어 마음이 편안해졌다. 하지만 마음 한 켠에서는 왠지 모를 불편한 감정이 스멀스멀 피어 올랐다. P에게 당장 지금이라도 그때는 먼저 연락을 끊어버려서 미안했다고, 오늘 네 생각이 너무 났다고 얘기를 해야 할 것 같았다. 그렇게 L이 말을 꺼낼 타이밍을 찾던 때, P가 뜻밖의 말을 꺼냈다.

'나 어제 갑자기 네 생각이 너무 났다?'

그 메시지를 본 순간 L은 어리둥절했다. 도대체 P가 자신의 생각을 할 일이 뭐가 있는지 너무나 의아스러웠다. L의 마음을 읽기라도 한건지 P는 어제 있었던 한 사건을 설명하기 시작했다.

'나 어제 회사 상사한테 완전히 깨졌었어. 내가 너무 성급하다나? 너도 알다시피 내가 좀… 생각 없이 막 행동하는 면이 있잖아? 어제 클라이언트한테서 전화가 왔었는데 얘기를 끝까지 듣지도 않고 내 멋대로 일을 처리해버린 거야. 아주 대형사고를 쳐버린 거지. 그랬더니 상사가 화가 아주 머리 끝까지 나서 나를 불러서 엄청 혼을 내더라고. 근데 거기서 가만히 있었으면 될 걸 내가 또 이것저것 변명을 늘어놓은 거야. 그게 상사의 심기를 제대로 건드린 거지. 그래서 나 지금 상사한테 완전히 제대로 찍혔어. 최악이지? 근데 그때 네 생각이 너무 나더라. 분명 너였으면 달랐을 텐데 하고.'

P의 말을 들은 L은 여전히 어리둥절했다. 그 상황에서 자신이었다면 달랐을 거라고? 오히려 악화시켰으면 악화시켰지 아무리 생각해도 그 상황을 진정시키는 자신의 모습이 떠오르지 않았다. 정말로 그런 L의 마음을 읽기라도 하는 건지 P가 갑자기 고등학생 때 있었던 일을 꺼냈다.

'너 그때 기억나? 고등학교 1학년때 청소 도구함에 있던 돈이 없어진 사건. 반장이 학생회비를 마땅히 둘 데가 없어서 청소 도구함 맨 위쪽 선반에다가 숨겨 놨었는데 그게 사라졌었잖아. 하필 그때 청소 당번이 우리 둘이었어서 바로 범인으로 의심받았지. 담임이 우리 둘을 불러서 계속 추궁을 하는데… 나는 너무 억울해서 절대 아니라고 울고 불고 아주 난리를 피웠는데, 그 상황에서 너는 그렇게 침착할 수가 없더라? 가만히 듣고 있다가 우린 거기 돈이 있는지도 몰랐다, 그렇게 의심되면 우리 가방 한번 뒤져 보시라, 이 두 마디 딱 하는데, 그게 그렇게 멋져 보일수가 없었어. 그래서 너였다면 분명히 어제 내 상황도 침착하게 해결했을 거라 생각했지.'

갑작스러운 칭찬에 당황한 L을 뒤로 한 채 P는 계속해서 말을 이어갔다.

'그것뿐만이 아니야. 너한테만 말하는 거지만 여기 회사 동료들 중에 나 싫어하는 사람 꽤 있나? 내 오지랖이 좀 부담스럽나나, 뭐나나. 근데 그건 고등학교 때도 마찬가지였어. 넌 알지 모르겠지만 애들 중에서 나 부담스럽다고 피하는 애들 몇 명 있었어. 근데 그런 애들도 모두 너는 되게 편하다고 그러더라? 이제 와서 말하는 거지만 나 그거

땜에 한때 너 좀 싫어했던 적도 있었어. 내 친구들 다 네가 뺏는 거 같아서. 그래서 난 항상 네가 부러웠다?'

L은 어안이 벙벙했다. 지금껏 L은 항상 P를 부러워했다. 하지만 P는 오히려 자신을 부러워하고 있었다니. 생각지도 못한 P의 말에 L은 머리가 혼란스러웠다.

'하, 역시 너한테 얘기하고 나니까 답답했던 게 싹 풀린다. 아, 나 이제 다시 일하러 가봐야 할 것 같아. 담에 우리 만나서 밥이라도 먹자. 한번 만나고 싶은데 너가 워낙 바쁘니까 만날 수가 있어야지. 오늘도 내 얘기 들어줘서 고마워!'

그 말을 끝으로 P는 다시 홀연히 사라졌다. L은 결국 P에게 자신이 하고 싶었던 말을 끝끝내 전하지는 못했지만 왠지 모르게 마음이 너무나도 가벼웠다. 다음 번에 P를 만났을 땐 반드시 P에게 나는 너를 부러워 했었다는 말을 하리라. 그 말을 듣고 난 후에 P가 보일 반응이 왠지 상상돼서 L은 쿡쿡 웃음이 났다.

EP 3. 나의 전부였던 그에게

"아, 오늘 박살나 버린 그 샘플이 필요하다고? 어떡해, 그거 다시 만들려면 꽤 오래 걸릴 텐데."

P와 대화한 이후 다소 숨통이 트였지만, 연구실에 들어선 순간 L은 다시 가슴이 답답해졌다. 여전히 L을 바라보는 동료들의 눈초리는 냉랭했으며 사수는 마치 L이 들으라는 듯이 큰 소리로 망가진 샘플에 대한 이야기를 하고 있었다. 그 숨막히는 상황을 끝내 견디지 못한 L은 결국 조퇴를 하고 일찍 연구실 밖을 나섰다.

조퇴를 했다고 해도 그 시간은 여느 직장인이 퇴근을 하는 시간이었다. L은 오랜만에 남들처럼 퇴근길에 올랐다. 연구실에서 L의 집으로 가려면 대학가를 지나 버스를 타고 한강 대교를 지나야 했다. 역시나 오랜만에 나선 저녁의 대학가는 청춘들이 뿜어내는 에너지로 무척이나 활기 찼다. 수업을 마친 대학생들뿐만 아니라 퇴근을 한 직장인들까지 합세한 거리는 사람들로 북적였다. 하지만 오늘따라 왠지 L은 자신이 그들 속에 있으면 안 될 것 같았다. 연구실에서의 트라우마 때문인지 수많은 사람들이 마치 모두 자신을 향해 손가락질을 하는 것만 같았기 때문이다.

그렇게 시끌벅적한 대학가를 서둘러 빠져나온 L은 내바침 노착한 버스에 도망치듯 몸을 실었다. 버스 맨 뒷자리 구석에 자리를 잡고 나니 그제서야 마음이 안정됐다. 하지만 동시에 정체 모를 어떤 감정이 몰려왔다. L의 바로 앞자리에는 20대 초반 대학생들로 보이는 한 커플이 자리를 잡고 있었다. 그들은 손을 잡은 채 서로를 바라보며 무언가 행복한 이야기를 나누고 있었다. 그들을 보고 있으니 L은 그 감정의 정체가 자신의 마음 속 깊숙히 박혀 있던 외로움임을 깨닫게 되었다. 당장이라도 누군가에게 기대고 싶은 오늘 같은 날에, 선뜻 어깨를 내어줄 누군가가 자신의 곁에 없다는 사실이 새삼스럽게 서럽게 다가왔다. 분명 L에게도 그런 사람이 있었다. 슬플 때면 언제든 달려와 눈물을 닦아줬던 그런 사람이, L에게도 분명히 있었다. 이미 머릿속에서 지워버린 지 한참이었던 그 사람, 오늘따라 그가 더욱 생각나는 L이었다.

K와는 대학 시절 동아리에서 처음 만났다. 지금 와서 생각해보면 그렇게 특별할 것은 없는 만남이었다. 때는 동아리 첫 OT 날, L은 여느 때와 다름없이 한껏 낯을 가리며 사람들이 잘 오지 않는 저 구석 자리에 앉아 있었다. 주위를 아무리 둘러봐도 자기만큼 낯을 가리는 사람은 아무도 없는 것 같았다. 단 한 사람만 제외하고. 사람들을 찬찬히 훑던 L의 시선은 어느새 자신의 맞은 편에 있는 한 남자에게 꽂혔다. 자신 못지 않게 잔뜩 낯을 가리며 한껏 긴장한 채 구석에서 눈만 데굴데굴 굴리던 그 남자가 바로 K였다. 그 모습을 보고 있자니 L은 왠지 모를 동질감과 함께 이 공간에서 적응을 못하는 것이 나뿐만이 아니라는 안도감이 들었다. 이름도 모르는 그 남자 덕분에 L은 자신이 이곳에서 더 이상 혼자가 아니라는 기분을 비로소 느낄 수 있었다.

그렇게 유독 소심했던 두 남녀가 그 후 이어진 술자리에서도 사람들로 북적북적한 테이블들을 피해 구석 테이블에 함께 앉게 된 것은 어찌 보면 당연한 수순이었다. OT 시간 내내 혼자서 K와 내적 친밀감을 잔뜩 쌓아놓은 탓에 L은 K가 자신과 같은 테이블에 앉을 때 내심 기뻤다. 기회가 되면 저 남자에게 반드시 먼저 말을 걸어 보자는 용기마저 생겼다. 하지만 그 기회는 좀처럼 찾아오지 않았다. 여느 술자리와 마찬가지로 회식 자리는 몇몇 운영진들의 주도하에 다같이 대화를 하면서 시작됐다. 활발하고 오지랖이 넓은 운영진들은 동아리 부원 중 누구도 대화에서 소외되지 않도록 알뜰히 챙겼다. 덕분에 회식 자리는 그 어떤 이탈자도 없이 훈훈하게 진행되었지만, 시간이 지날수록 L은 왠지 모르게 점점 지쳐갔다. 다행스럽게도 술이 조금씩 들어가고 분위기가 점점 무르익자 자연스럽게 테이블 별로 따로 대화를 나누기 시작했다. 조금 더 시간이 지나자 이제는 같은 테이블 내에서도 공통의 관심사가 있는 사람들끼리 또 따로 대화를 나누면서 어느새 단체 회식 자리는 소모임으로 바뀌었다. 그렇다. L이 K와 단둘이 대화를 나눌 수 있는 기회가 드디어 생긴 것이다.

하지만 이미 단체 대화에서 에너지를 다 써버린 나머지 L은 K에게 먼저 말을 걸 힘이 그 당시에는 더 이상 남아 있지 않았다. 그 대신 습관처럼 자신의 앞에 굴러다니던 병뚜껑 하나를 주워 이런저런 모양을 만들기 시작했다. 그렇게 한참을 말없이 병뚜껑만 만지작거리던 L의 귀에 눈을 낮게 울려 퍼지는 한 마디가 흘러 들어왔다.

"그거, 어떻게 하는 거야?"

그 말을 들은 L은 고개를 들어 자신의 맞은 편에 앉아 있던 사람에게 그제서야 눈길을 주었다. 그곳에는 K가 있었다. 주위를 둘러보니 다른 사람들은 이미 각자의 대화 메이트들을 찾아서 대화를 나누고 술을 마시기에 여념이 없었다. L에게 남은 대화 메이트는 이제 K 밖에 남아 있지 않았다. K도 그것을 알았는지 자신의 앞에 앉아 있는 L만을 뚫어지게 바라보고 있었던 것이다. 자신을 기다리고 있던 K의 그 눈빛을 마주하자 L은 순간 미안한 감정이 들었다. 그래서 평소 자신의 텐션보다 더 텐션을 높여서 K의 질문에 대답을 해주었다.

"아, 이거? 이건 내가 예전부터 취미로 해왔던 건데, 이 병뚜껑 꼭지 부분을 구부려서 다양한 모양을 만드는 거야. 이렇게 하면 하트도 만들 수 있고, 이렇게 하면 글자도 만들 수 있지."

L은 말을 하면서 흘끗 K의 반응을 살펴봤다. K는 여전히 자신에게 눈을 떼지 않고 있었다. 뜻밖의 L의 개인기를 보고 신기했는지 얼굴엔 그 전보다 한껏 상기된 미소를 띠고 있었다. 그 모습을 본 L은 잔뜩 신이 나서 더욱 활기차게 설명을 이어갔다. 마치 이날을 위해 몇 년간 이 것을 연마해온 사람처럼 자신이 할 수 있는 모든 테크닉을 총동원해 병뚜껑으로 온갖 묘기를 선보였다. 그러면 K는 L의 말을 경청하다가 가끔 한 마디씩 질문을 조곤조곤 날렸다. 그렇게 L과 K는 술에 취해 시끄럽게 떠드는 무리들을 뒤로 한 채 자신들만의 이야기 꽃을 피웠다. 그들의 대화 텐션은 다른 무리들에 비해 너무나도 조용했다. 하지만 대화의 열정만은 그들 못지 않게 무척이나 뜨거웠다. 시끄럽게 떠드는 외부 소리도 어느 새 들리지 않고 두 사람의 귀에는 서로의 대화 소리만 가득했다. 무리에서 떨어진 아웃사이더들은 그렇게 자신만의 세상을 만들었다.

회식은 3차까지 이어졌다. 평소라면 절대 이 시간까지 남아있지 않았을 L이지만 K와 함께 있어서 그런지 정신을 차려보니 어느새 3차에 와 있는 자신을 발견했다. L과 K 둘 다 술을 못하였기에 3차 회식이 끝나자 그곳에서 살아남은 이는 그 둘 밖에 없었다. 술에 취한 동아리 부원들을 모두 택시에 태워 보내고 나서야 둘은 드디어 집으로 갈 수가 있었다. 공교롭게도 두 사람은 집으로 가는 방향마저 같았다. 덕분에 집으로 가면서도 함께 이런저런 이야기를 나눌 수 있었다. 새벽녘의 공기는 아직 차가웠지만 알딸한 술기운과 함께 자신의 옆에서 걷고 있는 K에게서 나오는 온기 덕분에 L은 추위를 느낄 겨를이 없었다. 그 상태로 걷고 또 걷다 보니 어느새 두 사람이 헤어져야 하는 갈림길에 도달했다. 평소에는 이 갈림길이 나오면 곧바로 집이었기에 L에게 이 길은 항상 반가운 길이었다. 하지만 그날따라 그 갈림길이 이렇게 원망스러울 수가 없었다. 아쉬운 마음을 뒤로 한 채 '오늘 덕분에 즐거웠어' 라고 말하며 L은 자신의 집 쪽으로 발걸음을 옮겼다.

"저기, 잠시만…!"

뜻밖에 들려온 K의 다급한 한 마디에 L은 다시 뒤를 돌아봤다.

"괜찮으면… 네 전화번호를 물어봐도 될까?"

정중하고 배려심 넘치는 말투와 달리 K의 눈은 반드시 네 전화번호를 받아내고 말리라고 이야기하며 이글거리고 있었다. 그렇게 말하면 안 줄 수가 없잖아, 내 전화번호.

그날 헤어지고 나서도 L과 K는 전화로 밤새도록 이야기를 나누었다. 뭐 그리 할 말이 많았을까 싶지만 어느새 창 밖에서는 어둠이 서서히 가시며 온 세상이 밝아오고 있었다. 그렇게 얼마 있지 않아 그들은 연인이 되었다.

고백은 K가 먼저 했다. 고백 멘트는 그다지 특별하지 않았다. 아마 '앞으로 동아리 활동하면서 계속 봐야 하는데, 이왕이면 서로 만나면서 보지 않을래?' 그 비슷한 어떤 멘트였던 것 같다. 그 당시에는 그게 뭐야, 싶었지만 지금 와서 생각해보면 배려심 많은 K 특유의 고민 흔적이 고스란히 담긴, K 다운 그런 멘트였다.

순조롭게 연인이 된 두 사람의 가장 큰 고민은 바로 동아리 사람들에게 이 연애 사실을 알릴 지 여부였다. 지금에서 그때를 생각하면 우습기 짝이 없는 고민이지만, 그 당시 L과 K에겐 이것이 일생일대의 고민 그 자체였다. 연애를 시작하고 일주일 동안은 만날 때마다 그것에 대해 심각하게 토론 아닌 토론을 나누었던 두 사람이었다. 그 긴 고민 끝에 두 사람의 선택은 결국 비밀 연애를 하는 것이었다. 사실 L과 K의 성격을 생각하면 그것은 당연한 선택이었다. 소심 그 자체였던 두 사람이 공개 연애를 하면서 받을 남들의 부담스러운 시선을 견디기란 어지간히도 힘들었을 것이다. 그렇게 두 사람의 비밀 연애가 시작되었다.

비밀 연애는 꽤 잘 이루어졌다. 조용한 그들의 성격만큼이나 그들의 연애는 무척이나 조용했기 때문이다. 하지만 둘만 남겨지게 되었을 때만큼은 마냥 조용하지 않았던 그들의 연애였다. 시간이 지나자 두 사람은 점점 대담해지게 되었다. 사람들과 다같이 있을 때도 뒤에서 몰래 둘만의 애정 표현들을 조금씩 조금씩 하기 시작했다. 심지어는 회의 중에 남들 몰래 책상 아래에서 손을 잡고 있기도 했다. 그 금지된 사랑의 스릴에 빠지면서 두 사람은 점점 비밀 연애를 어느 정도 즐기게 되었다. 그러다 보니 그 행위는 날이 갈수록 대담해졌다.

어느 날 동아리에서 프로젝트를 끝낸 기념으로 다같이 단체 사진을 찍게 되었다. 당연히 L과 K는 맨 뒷 줄에 나란히 서서 사진을 찍었다. 그때, 갑자기 장난끼가 발동한 L이 옆에 서 있던 K의 손을 순간적으로 잡았다. 그 과감함에 당황한 K는 두리번거리며 주변 눈치를 살폈다. 그런 K의 모습이 귀여웠던 L은 K의 손을 더욱 꽉 잡았다. 그러고는 손가락을 꼼지락거리며 K의 손바닥 쪽을 꾹꾹 누르기 시작했다. 그러자 K는 온 얼굴이 시뻘게져서는 꼿꼿하게 선 채 정면만을 응시했다. 그런 K의 모습이 너무 웃겨서 L은 웃음을 참느라 혼이 났다.

단체 사진 촬영이 끝나자 동아리 부원들은 사진을 확인하기 위해 카메라 쪽으로 우르르 달려갔다. K의 표정이 어땠을지 궁금했던 L도 부원들을 따라 카메라 쪽으로 발걸음을 옮겼다. 그 순간, 생각지도 못한 상황이 벌어졌다. 카메라 쪽으로 뛰어가는 L의 팔을 잡은 K가 순간적으로 L을 뒤에서 껴안은 것이다. 너무나 갑작스러웠던 K의 돌발 행동에 L은 황급히 K를 밀어내었다. 아무리 비밀 연애에 대해 경각심이 사라졌다 한들 이것은 L에게 있어서 너무나도 과감한 행동이었다. 그런 L의 마음을 아는지 모르는지 K는 그저 해맑게 웃고 있었다. K는 그런 사람이었다. 자신의 감정을 말보다는 행동으로 표현하는, 다소 과격하더라도 그 속의 진심만은 확실하게 전달하는 그런 사람이었다. 하지만 L은 K에 비해 자신의 마음을 그것도 사람들이 다 보는 곳에서 누구나 알아챌 만한 그런 행동으로 표현하는 것에는 익숙지 않았다. K의 돌발행동에 L은 한껏 당황한 채 황급하게 주변을 둘러봤다. 다행히 사람들은 사진에 정신이 팔려 있느라고 두 사람을 보지는 못하고 있었다. L은 그제서야 안심을 하고 이런 난처한 상황을 만든 K를 잔뜩 째려봤다. 그 눈초리에 K는 머쓱한 웃음을 지었다. 그날 L과 K는 한바탕 싸웠다. 아니, 정확히 말하면 L이 일방적으로 K를 혼냈던 것이다. 그 사건 후로 둘은 동아리에서 스킨십을 줄였다.

K는 이야기를 정말 잘 들어주는 사람이었다. K와 함께일 때면 지금껏 항상 이야기를 들어주는 입장이었던 L조차도 어느새 수다쟁이가 되어 있었다. 그렇다고 K가 반응을 크게 해주는 것은 아니었다. 그저 조용히 들어주다가 가끔씩 낮고 차분한 K 특유의 목소리로 맞장구를 쳐줄 뿐이었다. 하지만 그럴 때마다 K는 언제나 L을 지긋이 바라보며 미소를 지었다. K의 입장에서는 박장대소인 그 다정한 미소는 마치 봄날의 햇살 같이 따뜻했다. 그 햇살 아래에서 L은 그 어떤 순간보다도 안정됨을 느꼈다. 그때 L에게 K는, 이 세상의 전부이자 자신을 비춰주는 태양 그 자체였다. K와 연애를 하는 동안 L은 하루하루가 행복했다. 아침에 눈을 뜨는 것이 설레었고, 밤에 눈을 감을 때면 아쉬움이 몰려왔다. 하지만 언제나 그렇듯 행복은 영원하지 않았다. 오랫동안 쌓아 올린 행복은 아주 급작스럽게 그리고 아주 지독하게 무너져 내렸다.

사건은 L과 K가 서로 다른 프로젝트 팀에 들어가면서부터 시작됐다. 그전까지 두 사람이 운이 좋게도 같은 프로젝트 팀에 소속되었기 때문에 L은 큰 무리 없이 동아리 생활에 적응을 할 수가 있었다. 하지만 팀이 달라지게 되면서 처음으로 서로가 없는 동아리 생활을 맞이하게 되었던 것이다. 그렇다 보니 L은 프로젝트 인원이 확정되자마자 K 없이 자신이 동아리 생활을 잘 이어갈 수 있을지 걱정부터 되었다. 하지만 그 걱정이 무색하게 K 없이도 L은 새로운 팀에 순조롭게 적응을 하였다. 프로젝트 일도 꽤 잘 되었고 팀원들과도 친해지게 되면서 마치 새로운 동아리에 들어온 것 같은 색다름을 한껏 즐기게 되었다. 그래도 프로젝트가 끝나고 나서는 여전히 K와 함께 집으로 돌아가는 그런 일상이었다.

그날도 L은 프로젝트 모임이 끝나고 같이 회식을 하러 가자는 팀원들에게 선약이 있다고 양해를 구하고는 K의 일이 끝나기를 기다리고 있었다. 한참 뒤 저 멀리서 K가 걸어오는 것이 보이자 L은 항상 그래왔듯 손을 들어 K를 향해 반갑게 흔들었다. 하지만, 오늘 K는 혼자가 아니었다. 누군가와 단둘이서 대화를 하면서 걸어오고 있었다. 심지어 그 대상은 여자였다! K와 같은 프로젝트 팀원이었던 S였다. K는 S와 즐겁게 대화를 하면서 L에게 보였던 그 다정한 미소를 한껏 얼굴에 띠고 있었다. 그 얼굴을 보는 순간 L은 알 수 없는 감정에 휩싸여 K를 향해 흔들던 손을 멈출 수밖에 없었다. 사실 S는 L도 아는 사람이었다. 그렇기에 두 사람 사이에 어떤 비밀스러운 감정은 없다는 걸 머리로는 분명하게 알지만 마음은 그렇지가 못했다. 오직 자신만을 향해 따뜻한 햇살을 비추던 나의 태양이 내가 아닌 다른 사람을 비추는 것을 L은 견딜 수 없었다.

K와 S는 한참을 이야기하더니 서로를 향해 손을 흔들며 헤어졌다. S와 헤어지고 나서야 저 멀리 서 있던 L을 발견한 K는 반갑게 인사를 하며 L에게 뛰어왔다. 그리고는 평소와 다름없이 모임은 잘 끝났냐고 안부를 물었다. 방금 전까지 S를 향해 보이던 그 다정한 미소와 똑같은 미소를 온 얼굴에 가득 띤 채로.

"오늘은 나 먼저 갈게."

왠지 모르게 그 미소를 견딜 수가 없었던 L은 K에게 쌀쌀 맞게 한마디를 던지고는 그대로 뒤를 돌았다. K로부터 걸려온 전화가 계속해서 울려대는 휴대폰을 그대로 든 채 홀로 건물 밖으로 나왔다. 전화가 끊기자 이번에는 K에게서 몇 통의 메시지가 날아왔다.

'무슨 일 있어?'

'혹시 내가 뭐 잘못한 게 있는 거야?'

'나중에 다시 연락 줘, 기다릴게…'

집으로 돌아와서야 K로부터 온 몇 통의 부재중 전화와 다급한 메시지들을 확인한 L은 자신의 행동을 순간 크게 후회했다. 자신조차도 왜 그랬는지 모를 정도로 그때 느꼈던 감정은 L이 처음 느껴보는 생소한 것이었다. 고등학교 시절 L은 P가 자신이 아닌 다른 친구들과 즐겁게 지내는 것을 봤을 때도 비슷한 감정을 아주 살짝 느낀 적이 있었다. 하지만 지금 느끼는 이 감정은 P에게 느꼈던 것과는 차원이 달랐다. 그렇게 L은 인생에서 처음으로 강한 질투의 감정을 느꼈다.

사실 K는 누구에게나 항상 친절한 성격이었다. 그런 성격의 K였기에 자신 외의 다른 사람에게도 K가 그렇게 다정하게 행동하는 것은 어찌 보면 당연했다. 자신이 질투를 느끼는지도 몰랐던 그 당시의 L은 K에게 피곤해서 그랬다고, 미안하다는 메시지를 한 통 보낸 후 침대에 누워 자책하고 또 자책했다. 내일 K에게 가서 말로 사과를 하고 다시는 이런 행동을 하지 않기로 다짐했다. 하지만 한번 싹트기 시작한 그 부정적인 감정은 날이 갈수록 커지게 되었다.

그날 이후 L은 K가 다른 동아리 사람들과 친하게 지내는 것을 볼 때면 이상하게 신경이 쓰였다. 특히 S와 이야기를 나누는 K를 볼 때는 더욱 견딜 수가 없었다. 그렇게 K가 자신은 뒷전인 채 S와의 이야기에 정신이 팔려 있을 때면 L은 문자 한 통만 남겨 놓은 채 말없이 혼자 집으로 돌아왔다. 심지어 어떨 때는 K에게 아무런 연락을 하지 않을 때도 있었다. 그럴 때마다 K는 항상 괜찮냐며 무슨 일 있냐며 다시 연락을 해왔다. 그것이 계속 반복되자 나중에는 K가 자신이 잘못한 것을 제발 말해달라고 애원하기까지 하였다. 그런 식으로 L은 K의 관심을 갈구했다. 자신의 태양이 오롯이 자신만을 바라보길 원하는 마음을 건강하지 않은 방식으로 표현했다.

L도 이런 방식이 잘못됐다는 것을 분명히 알고는 있었다. 하지만 태어나서 처음 느껴보는 질투의 감정을 제대로 컨트롤하기에 당시 L은 너무 어렸다. K에게 S와 친하게 지내는 것이 질투가 난다고 솔직하게 말하면 해결됐을 일이지만, 이상한 자존심 때문에 L은 자신이 직접 말하지 않아도 K가 자신의 마음을 알아서 눈치채 주길 바랬다. 그렇게 답답한 악순환은 계속해서 반복됐다.

그러길 몇 달 후, 그날은 유독 흐린 날이었다. 아침부터 L은 몸 상태가 썩 좋지 않다는 것을 느꼈다. L의 몸 상태는 시간이 갈수록 악화되어 프로젝트 모임에 집중하기도 어려울 정도가 되었다. 그래서 L은 K에게 몸이 좋지 않아 먼저 돌아간다고 메시지를 보내고 집에 일찍 와서 쉬고 있었다. 그러는 사이에 날씨는 더욱더 흐려지더니 이윽고 빗방울이 하나씩 떨어지기 시작했다. 그런데, 갑자기 K에게서 전화가 왔다. L이 비몽사몽한 상태로 전화를 받으니 K는 자신이 지금 L의 집 앞이라고 말하였다. 잠시만이라도 만나 얘기를 나누고 싶다고 했다. 깜짝 놀란 L이 창밖을 내다보니 정말로 그곳엔 K가 있었다. 빗방울은 이미 꽤 굵어져 있었지만 K는 우산 하나 없이 그 비를 그대로 맞으며 L의 집 앞에 서 있었다.

거친 비는 아랑곳하지 않은 채 하염없이 자신을 기다리고 있는 K의 그 미련한 모습에 L은 순간적으로 화가 나 왜 이런 날씨에 우산도 없이 여길 왔냐고, 오늘은 정말 몸이 좋지 않아 만날 수가 없으니 돌아가라고 매몰차게 말했다. 수화기 너머 K는 한참을 아무 말도 하지 않더니, 이내 알겠다는 한 마디를 남긴 채 그제서야 뒤를 돌아섰다. 그렇게 K가 떠나고 한참이 지나자 L은 문득 K에게 우산이라도 쥐여줘서 돌려보냈어야 했나 걱정이 되기 시작했다. K에게 연락을 하기 위해 휴대폰을 든 그 순간, K에게서 한 통의 메시지가 왔다.

'정말 많이 생각해봤는데, 우리 헤어지는 게 맞는 것 같아. 미안해.'

그 메시지를 본 순간, L은 머릿속이 하얘졌다. 숨소리조차 들리지 않는 방 안은 밖에서 쏟아지는 빗소리만이 가득히 울려 퍼졌다. 한참을 멍하니 K의 메시지를 들여다보던 L은 애써 이 상황을 부정했다. 메시지를 보자마자 당장 K에게 연락을 해서 빌기라도 했어야 하지만, L은 그러지 않았다. 바보같이 계속 기다리기만 하면 지금까지 그래왔던 것처럼 언젠가 K에게서 먼저 연락이 올 거라고 믿었다. 그러길 하루, 이틀, 일주일. 그 이후로 K에게서 먼저 연락이 오는 일은 다시는 없었다.

그렇게 몇 주가 지나고 나서야 L은 정말로 K가 자신의 곁을 떠났다는 것을 깨달았다. 그것을 깨닫자마자 슬픔과 후회가 폭풍처럼 몰려와서 L의 일상을 덮쳐왔다. 하지만 이미 다시 되돌리기에는 너무 늦은 시기였다. K와 헤어지고 난 후 몇 달 동안 L은 좀처럼 마음을 진정할 수가 없었다. K가 떠나버리고 나서야 K가 자신의 일상에서 얼마나 큰 부분을 차지하고 있었는지를 알게 되었기 때문이다. K에게 조금만 더 잘해줄 걸, 조금만 더 솔직히 표현할 걸, 조금만 더 다정하게 대해줄 걸, 이라고 끊임없이 후회했다. 당연히, 동아리 생활도 학교 생활도 더 이상 정상적으로 이어갈 수가 없었다. 그렇게 L은 동아리를 탈퇴하고 휴학을 한 채로 집 안에만 틀어박히게 되었다.

나중에 몇 년이 지나서 L은 동아리 친구 한 명에게 K와 S가 사귀게 되었다는 소식을 우연히 듣게 되었다. S가 오래전부터 K를 좋아하고 있었고, 꾸준히 마음을 전해왔지만 K는 계속 거절했었다고. 그러다가 결국에는 사귀게 되었다나. 그 뒤로 K의 소식을 들은 적은 더 이상 없었다.

L의 앞에 앉은 커플들은 여전히 뭐가 그렇게 좋은지 서로를 바라보며 환하게 미소 짓고 있었다. L은 그 모습을 보면서 K와 자신의 모습

을 떠올렸다. 너무 오래 전의 일이라 이제는 K를 떠올릴 때 예전만큼 마음이 아파오지는 않았다. K와의 추억조차 이제는 희미해져서 기억을 더듬고 더듬어야 겨우 떠오를 정도였다. 그런데 오늘따라 마음이 왜 이렇게 씁쓸해져 오는 건지는 도통 알 수가 없었다. 그 희미한 기억을 더듬으며 씁쓸함을 계속 곱씹을 바에야 차라리 정면으로 마주해버리자는 심정으로 L은 휴대폰을 꺼내 사진첩을 뒤지기 시작했다. K와 함께 찍은 사진들은 이미 일찌감치 정리를 해서 하나도 남아 있지 않았다. 한참을 사진첩을 뒤적이던 L은 동아리 시절 찍었던 단체 사진 하나를 발견하였다. 그리고 거기에는 L과 K가 있었다.

그 사진을 발견하자 L은 스크롤을 내리던 손을 순간 멈췄다. 그리고 그 사진을 한 동안 멍하니 바라봤다. 단체 사진 속 맨 뒷 줄에서 L과 K가 나란히 서있었다. 그 속의 L은 그 어떤 때보다 환한 웃음을 짓고 있었다. 지금의 L조차 자신이 저 정도로 환하게 웃을 수 있는 사람이었는지 놀랄 정도로 사진 속 L은 지금 저 앞에 있는 커플들 못지 않게 세상에서 가장 밝은 표정으로 웃고 있었다. 그리고 그 옆에는 그런 L을 바라보는 K가 있었다. K는 그 시절 L을 따뜻하게 해주었던 그 다정한 미소를 얼굴에 가득 품은 채, 정면이 아닌 오직 L만을 바라보고 있었다.

L은 연애 당시 항상 K가 자신을 바라봐 주었으면 했다. 하지만 기억을 되돌려 보면, K는 항상 L을 바라보고 있었다. L과 처음 만났을 때도, L과 연애를 할 때도, L과 헤어지던 그 날도, 그리고 이 사진 속에서조차, K의 시선은 언제나 L을 향하고 있었다. 그리고 어쩌면 한번쯤

은, L이 먼저 뒤를 돌아서 자신을 바라봐 주길 바랐을지도 모른다. 자신을 향해 저 환한 미소를 비춰 주길 바랐을지도 모른다. 그 시절 K는 L의 태양 그 자체였다. 하지만 어쩌면 K라는 우주 속에서는 바로 자신이 태양이 아니었을까, 문득 그런 생각을 하게 되는 L이었다.

EP 4. 나의 원수였던 당신에게

그렇게 한참 사진첩을 멍하니 뒤적거리던 L은 어떤 한 사진을 보자 순간 마음이 덜컥 내려앉았다. 카메라를 향해 환하게 웃고 있는 어린 자신 뒤에서 거대한 누군가가 자신을 안고 있는 사진이었다. 그렇다. 바로 L의 아빠였다. 아빠. 그 이름만 들어도 L은 가슴이 뜨거워졌다. 그는 이제 보고 싶어도 더 이상 볼 수 없는 존재였기 때문이다.

L의 아빠는 굉장히 다정한 분이었다. L 앞에서 단 한 순간도 언성을 높인 적이 없을 정도였다. L은 아빠에게 크게 혼난 기억도 많이 없었다. L이 실수를 하거나 잘못을 저지를 때도 아빠는 화를 내기 보다는 항상 괜찮다고 다독여주는 분이었다. L은 그런 아빠가 편했다. 잠을 잘 때도 꼭 아빠 옆에 붙어서 잠을 잤다. 특히 L이 가장 기다리던 시간은 아빠가 일이 끝나고 야식을 사오실 때였다. 아빠는 집에 늦게 돌아오실 때면 하루 종일 혼자였을 L에게 미안해서인지 언제나 먹을 것을 사들고 오셨다. 아빠와 함께 그 야식을 먹으면서 이런저런 대화를 나누는 그 시간이 하루 중 가장 즐거운 순간이었다. 그렇기에 L은 아무리 늦은 시간이라도 이를 악물고 쏟아지는 졸음을 참으면서까지 아빠를 기다렸다. 어린 L에게 아빠는 바로 그런 존재였다.

반면에 L의 엄마는 아빠와 달리 굉장히 무뚝뚝한 사람이었다. L에게 칭찬을 해준 적이 거의 없었고 다정한 말 한 마디조차 잘 해주지 않는 분이었다. L이 시험을 잘 쳐서 자랑이라도 하는 날에는 다음에 더 잘하는 것이 중요하다며 냉정하게 대하는 것이 전부였다. 만약 L이 어떤 실수나 잘못을 하기라도 하는 날에는 아무리 사소한 일이라도 불같이 화를 내셨다. 하루는 L이 장난감을 가지고 놀다가 실수로 유리창을 깬 적이 있는데 그날 L은 엄마에게 정말 눈물이 쏙 빠질 정도로 혼이 났었다. 그 사건 이후로 집에 있는 장난감은 모두 압수되었다. L은 그런 엄마를 항상 무서워했다. 심지어는 엄마가 자신을 싫어한다고 생각하기도 했다. 그 정도로 L에게 있어 엄마는 불편한 존재였다.

L의 부모님은 함께 사업을 하셨다. 무슨 사업을 하는지는 L에게 말해주신 적이 없었지만 그 사업이 그리 성공적이지 않았을 거라는 것은 어린 L조차도 직감적으로 알 수 있었다. 일을 끝내고 올 때면 두 분 사이에 흐르는 냉랭한 기류가 온 집안을 감쌌기 때문이었다. 가끔은 두 분이 언성을 높이며 싸울 때도 있었는데, L은 그럴 때마다 베개를 끌어안고 숨을 죽이면서 이 상황이 빨리 끝나기를 빌고 빌었다. 문틈 사이로 새어 들어오는 목소리는 대부분 엄마의 것이었다. 아빠한테 내뱉는 날카로운 말들이 마치 자기를 향하는 것만 같아서 그 목소리를 들을 때면 L은 심장이 미친듯이 두근거렸다.

엄마와 한바탕 싸운 날이면 아빠는 항상 혼자 밖으로 나가 술을 마셨다. 술기운이 잔뜩 올라 벌겋게 상기된 얼굴을 한 채 비틀거리는 걸음으로 집에 들어오는 그런 아빠가 L은 너무나 불쌍했다. 어린 시절 L이 엄마에게 혼나서 울고 있을 때면 항상 아빠가 달려와서 L을 달래주었다. 하지만 정작 아빠를 달래 줄 사람은 아무도 없었기에 술로 애써 자기 위로를 하는 아빠의 모습이 어린 L의 눈에도 비참해 보였던 것이다. 그래서 아빠가 술을 마시러 나간 날이면 L은 엄마 몰래 현관

문 밖에 나가서 아빠를 기다렸다. 저 멀리서 자신을 기다리고 있는 L을 발견할 때면 아빠는 언제나 '우리 딸, 아빠 기다렸어?' 하고 한 걸음에 달려와 자신의 얼굴을 L의 얼굴에 잔뜩 비볐다. 수염 가득한 그 얼굴은 너무 따가웠지만 그 얼굴을 마주하고 나서야 왠지 모르게 안심이 되는 L이었다.

L에게 있어 아빠는 자신을 위로해주는 유일한 사람이자 어린 시절을 함께한 최고의 친구 그 자체였다. 아빠는 자신이 아무리 응석을 부려도 화 한번 내지 않고 언제나 그 응석들을 다 받아주었다. 그런 아빠는 어린 시절 L의 든든한 버팀목 그 자체였다. 하지만 어쩌면 아빠에게 있어 L도 그런 존재였는지 모른다. L이 나이가 들고 성인이 되자 아빠도 이제는 조금씩 자신의 얘기를 하기 시작했다. 거래처 사람들과 싸운 얘기, 날이 갈수록 어려워지는 집안 사정에 대한 얘기 등, L이 어렸을 때는 좀처럼 듣기 힘들었던 얘기가 아빠의 입에서 점점 나오기 시작했다. 특히나 엄마와 싸우고 난 날이면 아빠는 술에 취한 채 L에게 전화를 걸어 몇 시간 동안이나 자신의 서운한 감정들을 쏟아내었다. 처음에는 잘 받아주던 L이었지만 그것이 쌓이고 쌓이다 보니 어쩔 수 없이 L도 점점 지쳐갔다. 어릴 때 아빠가 자신에게 해주었던 것은 새까맣게 잊어버렸는지 언제부턴가 아빠와 전화를 할 때면 짜증만 내고 있는 자신을 발견했다. 그리고 그날도 여전히 그랬다.

때는 지금으로부터 몇 년 전, 대학 졸업을 앞두고 여느 때와 다름없이 L은 바쁜 나날을 보내고 있었다. 밤늦은 시간까지 과제를 하고 있던 어느 날 아빠에게서 한 통의 전화가 걸려 왔다. 휴대폰 너머에서 들려오는 아빠의 목소리는 술에 잔뜩 취해 있었다. 그 목소리를 듣자마자 L은 마음 한 구석에서 짜증이 치밀어 올랐다. '아빠 나 지금 바빠. 나중에 전화해' 라는 L의 말을 들은 건지 마는 건지, 아빠는 또 다시 본인 이야기를 장황하게 늘어놓기 시작했다. 거래처 사람들이 어땠고, 친척 누군가가 어땠고. 그러나 결론은 결국 엄마에 대한 이야기였다. 그날도 아빠는 엄마와 한바탕 싸운 모양이었다. 엄마 얘기를 듣자마자 L은 꾹꾹 눌러왔던 무언가가 터지는 듯한 느낌이 들었다. 그리고 아빠에게 참아왔던 화를 쏟아내었다.

"아빠, 나 바쁘다고 했잖아! 언제까지 엄마 얘기를 나한테 할건데? 내가 아빠 감정 쓰레기통이야? 왜 나한테는 안 좋은 얘기, 힘든 얘기만 주구장창 늘어 놓는 건데? 아빠는 친구가 없어? 항상 그래왔듯이 혼자 술이나 마시면서 그렇게 궁상맞게 굴어. 나한테 그러지 말고."

"…..미안해."

그것이 아빠와 L의 마지막 통화였다. 그날 새벽, 엄마에게서 한 통의 문자가 왔다. 급성 심근경색. 아빠의 사인이었다. 표면상의 사인은 그것이지만 L은 알고 있었다. 아빠를 죽인 것은 바로 자신의 한 마디였음을.

L은 그날을 두고두고 후회했다. 한동안은 충격에 빠져 잠시 실어증에 걸릴 정도였다. 어쩌면 그런 말을 내뱉은 자신이 원망스럽기 못해 끔찍해서 견딜 수가 없었다. 그렇게 L은 두 번째 휴학을 하게 되었다. 두 번째 휴학은 첫 번째 휴학 때보다도 더욱 길었고, 또 더욱 극복하기가 어려운 것이었다. L의 삶에서 누군가가 떨어져 나가는 것이 아

니라 자신의 삶 일부분 자체가 송두리째 떨어져 나가는, 그런 느낌이었기 때문이다. 그리고 그 삶의 일부분을 뜯어 내다버린 사람이 바로 자신이었기에 그 깊은 심연에서 빠져 나오기란 여간 어려운 것이 아니었다. 아니, 솔직히 말하면 아직까지도 여전히 그곳에서 허우적거리고 있는 걸지도 모른다.

아빠의 사진을 보자마자 잊고 있었던 그 심연의 그림자가 갑자기 L에게 휘몰아쳐왔다. 버스는 이제 한강 대교를 건너고 있었다. 더 이상 버스에 앉아 있을 수가 없어서 L은 한강 대교 한가운데서 하차를 해야만 했다. 한강 대교 위에는 수많은 차들이 대교를 통과하고 있었다. 그 많고 많은 차 중에서 대교 위에 홀로 덩그러니 서 있는 L에게 눈길을 주는 이는 아무도 없었다. 말 그대로, 이 세상에 혼자 남겨진 기분이었다. 목 끝까지 서러움이 차올랐지만 이것을 토로할 수 있는 사람이 L의 곁에는 더 이상 존재하지 않았다. P도, K도, 그리고 아빠도. L의 주변 사람들은 모두 하나 같이 자신을 떠나버렸다. 그리고 그들을 떠나보낸 이는 다름 아닌 바로 자기 자신이었기에, L은 더더욱 견딜 수가 없었다. 그렇게 소중한 이들을 계속 떠나 보낼 바에야 차라리 자기 자신이 이 세상을 떠나버리는 것이 맞다고 생각했다. 한참을 한강 대교에 서 있던 L의 발걸음이 서서히 난간 쪽을 향했다. 막상 난간에 매달리니 매섭게 불어오는 바람과 함께 두려움이 걷잡을 수 없이 몰려왔다. L은 이러지도 저러지도 못한 채 난간을 잡고 하염없이 강 아래만 내려다 보았다. 이 상황에서 L이 도움을 요청할 수 있는 곳은 어디에도 없었다. P도, K도, 아빠도. 그리고 엄마….

엄마. 잊고 있었던 그 이름이 갑자기 L의 머릿속을 스쳤다. 아빠가 돌아가시고 난 뒤부터 L은 본가에 더 이상 내려가지 않았다. 아빠 없이 그를 단둘이 마주 보는 것이란 L에게 너무나 불편한 일이었기 때문이다. 그 대신 아빠의 기일날만큼은 의무적이더라도 엄마에게 먼저 연락을 해 안부를 묻던 L이었다. 하지만 그때마다 엄마의 말투는 쌀쌀맞기 그지 없었다. 엄마는 항상 그랬다. 가끔씩 답답한 일이 생겨서 엄마에게 힘겹게 말을 꺼낼 때면 '네가 잘못을 했으니까 그렇지' 라며 감정을 일축해버리기 일쑤였다. 칭찬은커녕 그 흔한 위로 한 마디조차 엄마에게서 듣기는 여전히 힘들었다. 그 뒤로부터 L은 의무적으로 하던 연락도 서서히 끊게 되었다.

하지만 오늘 같이 절박한 날에는 어쩔 수 없이 하나 밖에 남지 않은 가족이 떠오르는 것이었다. 그런 무뚝뚝한 엄마라도 자식이 죽는다고 하면 그래도 신경을 써주지 않을까. 따뜻한 위로의 말 한 마디를 해주지 않을까. 이 참을 수 없는 서러운 감정을 어떻게든 해소해주지 않을까. 일말의 기대를 가슴 한 켠에 품은 채 L은 엄마에게 전화를 걸었다. 긴장되는 통화음이 한참 동안 길게 이어지고 나서 드디어 엄마가 전화를 받았다.

"왠일이야."

오랜만에 전화를 한 엄마의 목소리는 여진히 무뚝뚝했다. 그 목소리를 마주하니 꺼내려던 말도 다시 들어가버리는 기분이었다. 차마 엄마에게 당장 죽을 거라는 말은 도저히 할 수가 없었다.

"저 대학원 그만두려고요."

"왜?!"

혹시나 위로의 말을 들을까 싶어서 대학원을 그만두겠다는 말을 했지만 돌아오는 대답은 늘 그렇듯 싸늘했다. 그 싸늘한 한 마디는 비수처럼 L에게 꽂혀 남아 있던 일말의 희망도 없애 버렸다.

"그냥 저랑 안 맞는 것 같아서요."

처음 엄마에게 전화를 걸었을 때 아주 살짝 들떠 있었던 L의 마음은 실망과 함께 다시 차분하게 가라앉았다. 그 실망을 저버리지 않기라도 하는 듯 엄마는 차가운 대답을 쏟아내었다.

"너는 어떻게 된 게 애가 항상 뭘 해보지도 않고 그만둔다고 해? 항상 그렇게 포기하고 도망을 가버리면 앞으로 이 세상을 어떻게 살래?! 너 대학 다닐 때도 조금만 힘들면 바로 휴학 했었잖아? 한창 대학 졸업 준비하느라 바빠야 할 때도 휴학해버리고는 그 상태로 집에만 틀어박히더니…!"

"그때 휴학했던 건….!"

L은 말문이 턱 막혔다. L의 인생에서 가장 길고 길었던 그 휴학은 아빠의 죽음으로 인한 것이었다. 분명 엄마도 그것을 모르지는 않았다. 그런데도 어떻게 그 일을 그저 조금만 힘든 일로 치부해버릴 수가 있는가? 엄마에게 아빠란 그런 존재 밖에 되지 않았던 것인가?! 그런 생각이 들자 L은 쌓여왔던 울분이 폭발했다.

"도대체… 도대체 엄마한테 아빠는 어떤 사람이었어요? 대체 아빠를 어떻게 생각했으면 그 일을 그런 식으로 대수롭지 않게 말할 수 있는 거죠?! 아빠가 돌아가셨을 때 슬프기는 했어요?!!"

"그래, 네 아빠는 하는 것마다 마음에 안 드는 사람이었어. 사업을 하는 사람이면은 항상 꼼꼼해야 하는데 맨날 똑같은 실수나 반복하고. 일이 조금만 틀어져도 해결할 생각은 안하고 혼자 끙끙 앓으면서 술이나 마시고. 그렇게 죽은 것도 결국 그 놈의 술 때문이지. 힘든 일이 있으면 말을 하면 될 것이지 한심하게 술로 도망만 치고...! 그 모습이 딱 지금의 너 같아, 안 그래?!"

"……….."

맞다, 엄마는 항상 이런 사람이었다. 아빠가 돌아가시고 나서 한참 자취방에 박혀 있던 L은 어느 날 아빠의 사진 하나라도 얻어올까 싶어 본가에 내려갔던 적이 있었다. 하지만 본가에 아빠의 흔적은 이미 싹 사라진 후였다. 아빠가 완전히 지워진 그 공간에서 엄마는 여전히 태연하게 본인의 삶을 살아가고 있었다. L은 그런 엄마의 모습이 전혀 이해가 되질 않았다. 엄마는 죄책감도 없는가? 사실 따지고 보면 아빠를 죽인 사람은 자신이 아니라 바로 저기 있는 엄마가 아니었는가? 엄마가 아빠한테 그렇게 모질게 대하지만 않았으면 아빠가 자신에게 하소연을 할 일도 없었을 테고, 그럼 자신이 아빠한테 싫은 소리를 할 일도 없었지 않았나…! 엄마의 말을 듣자 그때 그 모습이 다시 한번 머릿속에 떠올라 L은 엄마가 너무나도 끔찍하게 느껴졌다.

"엄마는… 아빠를 사랑하기는 했어요…? 아니, 아니시. 이미 그 대답은 충분히 들은 것 같네요. 아빠가 어떻게 되든 전혀 신경도 안 쓰던 분이었으니 말이죠. 엄마는 제가 지금 당장 죽어도 눈 하나 꿈쩍 안 하겠죠? 항상 그랬던 것처럼 죽을만 하니 죽었겠지라고 생각하겠지, 안 그래요…?!"

"….너 지금 어디야?"

격해진 L의 목소리 너머로 한강에서 불어오는 매서운 바람 소리와 강물 소리가 들려오자 엄마는 직감적으로 L이 지금 어디 있는지 알아차리고는 말했다.

"왜, 이젠 아예 세상에서 도망쳐 버리기로 한 거야?"

"…어차피 신경도 안 쓰잖아요…"

"….."

한동안 긴 침묵이 이어졌다. 잠시 뒤 엄마가 그 침묵을 깨고 말을 이어갔다.

"네 아빠는… 참으로 답답한 사람이었지. 남한테 싫은 소리 하나 하지 못하고 자기 기분보다는 언제나 남의 기분을 먼저 생각하는, 그런 착해 빠진 사람이었어. 그게 엄마는 참 답답했단다. 그래서 그럴 때마다 네 아빠한테 항상 화를 냈어. 하고 싶은 말이 있으면 남 기분 생각하지 말고 제발 제대로 하라고. 하지만 그때조차 그 사람은 싫은 소리 한 마디 하지 않고 그저 미안하다고 할 뿐이었지. 대체 뭐가 그렇게 미안하다는 건지, 미련하게… 엄마는 그런 네 아빠를 정말…"

엄마는 살짝 목이 메는 듯 잠시 말을 멈추었다. 그리고 한 마디를 내뱉었다.

"사랑했단다."

"……"

"사실 네 아빠가 아니라 남이었으면 그 모습에 그 정도로 화가 나지는 않았을 거야. 하지만 내가 사랑하는 사람이니까, 그 사람의 주눅든 모습이 마치 내 모습인 것만 같아서, 그래서 오히려 더 화를 냈지. 네 아빠가 떠나고 난 지금에서야 엄마는 그걸 깨달아 버렸어. 그걸 깨닫고 나서부터는 정말로 후회가 되더라. 남들에게 하는 것처럼만 네 아빠에게 표현할 걸. 그랬으면 그 어떤 사람에게 하는 것보다도 더 잘했다고 칭찬해줬을 텐데, 더 고맙다고 했을 텐데, 더 사랑한다고 했을 텐데… 시간을 돌릴 수만 있다면 그때로 돌아가 네 아빠한테 전하고 싶어. 남들과는 비교도 안 될 만큼 당신이 내게 소중한 사람이었다고…"

"……"

엄마의 얘기를 들은 L은 한동안 아무 말도 할 수가 없었다. 처음이었다. 엄마의 진짜 속마음을 이렇게 전해들은 것은. 엄마도 자신만큼이나 후회하고 또 후회했었구나. 잠깐 동안의 침묵을 깬 건 또 다시 전화 너머로 들려오는 엄마의 한 마디였다.

"밥은 먹었니?"

"아뇨, 아직…"

"왜 아직까지 밥도 안 먹고."

"시간이 없어서…"

평소였다면 의미 없다고 생각했을 형식적인 안부 인사가 몇 차례 이어지자 L은 이상하게도 납납했던 마음이 조금씩 녹아 내리는 것만 같았다. 사실, 아빠가 돌아가시고 나서 깊은 수렁에 빠져 있던 L을 꺼내준 건 다름 아닌 엄마의 문자 메시지였다. 밥은 먹었냐, 언제 먹을거냐, 제때 챙겨 먹어라. 그때는 그 안부 인사가 그렇게도 귀찮았던 L이었지만 오늘은 이토록 반가울 수가 없었다. 그 몇 마디가 마치 L에게 넌 혼자가 아니라고 말해주는 것 같았기 때문에.

"그럼 빨리 들어가서 밥부터 먹어라. 추운데 그렇게 서 있지 말고…"

"엄마, 실은 저 오늘 연구실에서…"

L은 왠지 지금이라면 엄마에게 서러움을 털어놓을 수 있을 것만 같았다. 그래서 그동안 가슴 한 켠에 자리 잡고 있던 말을 용기 내어 꺼냈다.

"실수로 연구실 사람들 샘플을 다 망가뜨려 버렸어요. 그래서 연구실 사람들도 교수님도 모두 다 나를 싫어해요. 물론 제가 잘못한 일이 맞아요, 그런데…"

"그런데?"

그 다음 말을 되묻는 엄마의 말은 여전히 날카로웠다. 하지만 그 말이 오늘따라 유독 다정하게 느껴져서, L은 가슴 속에 꾹꾹 담아왔던 무언가가 터지는 듯한 기분이 들었다.

"그런데 진짜 솔직하게 말하면… 내가 그렇게 잘못했나 싶어요. 다들 그 정도로 화를 낼만한 일이었나, 조금만 더 따뜻하게 바라봐 줘도 됐지 않나, 자기가 그런 실수를 했으면 과연 그 정도로 화를 냈을까, 그런 생각이 들어서… 그래서 사실은 저 너무 억울했어요."

한번 터져버린 서러움은 이제 걷잡을 수도 없이 쏟아져 내렸다.

"사실, 제가 이런 말할 자격은 없긴 해요. 저도 제 주변 사람들을 그렇게 따뜻하게 대하진 않았거든요. 나조차 내 소중한 사람들에게 다정히 대하지 못하는데, 그 사람들이 저를 너그럽게 봐줄 필요는 없잖아요? 내가 뭐라고… 그래서, 그래서 이런 벌을 받지 않나… 솔직히 그런 벌을 받아도 마땅한 사람이에요 저는. 어쩌면 제가 이 세상에 없는 게 그들에게 더 도움이…"

"그만."

엄마는 단호한 목소리로 L의 말을 끊었다. 그 말을 들은 L은 그제서야 흐릿했던 정신이 번쩍 돌아오는 것 같았다. 아무 말도 하지 않고 묵묵히 L의 이야기를 들어주던 엄마는 여전히 차가운 목소리로, 하지만 오늘 L이 들었던 그 누구의 목소리보다도 더 따뜻한 목소리로 말하였다.

"그 사람들은 네가 자기한테 피해를 입혔다는 것 때문에 화가 나는 거지, 너 자체에는 크게 관심이 없어 보이는데? 그 사람들은 샘플이 다시 만들어지는 순간 자기가 화를 냈다는 것조차 잊어버릴 걸. 원래 남이란 그래, 그렇게 이기적인 존재란다. 하지만 정말로 너를 생각하는 사람이었어도 그 상황에서는 크게 화를 냈을 거야. 실험실에서 그렇게 정신을 두고 다니다니, 자칫 잘못했으면 네가 크게 다칠 수도 있었잖아? 그리고 화를 내는 동시에 다시는 그러지 말라고 충고했을 거야. 사실 그건 충고가 아니라, 걱정이지. 그게 바로 남이 아닌 진짜 소중한 사람을 대할 때의 태도란다. 사람들은 자신이 소중하게 여기는 이에게 원래 그렇게 다정하지 않아. 오히려 너무할 정도로 모질게 대하기도 하지. 하지만 그게 그 사람이 정말로 미워서 그러는 건 아니야. 그 속에는 그 사람을 생각하는 마음이 분명 가득 담겨 있지만 그

저 표현이… 겉모습이 그렇게 날카롭게 보일 뿐이지. 너도 분명히 그
랬을 걸. 너뿐만 아니라, 모두가 다 그렇단다… 그렇기 때문에 항상 지
나고 나서야 후회를 하지. 그러니까, 너도 너를 소중하게 여기지 않는
사람들을 굳이 신경 쓸 필요는 없어. 그들의 말에 크게 흔들릴 필요도
없어. 그 사람들에게 쏟을 정성을 네 소중한 사람들한테 쏟기에도 인
생은 너무 짧으니까. 그걸 깨달았으면 이제부터라도 네 진심을 그들
에게 솔직하게 전하면 되는 거야, 그러면 되는 거야. 더 이상 후회하기
전에…"

"……"

"……"

그 말을 마친 엄마는 한동안 말이 없었다. L도 덩달아 아무 말도 하
지 않았다. 그렇게 한참의 정적이 흐른 뒤, 수화기 너머로 한 마디가
흘러 들어왔다.

"사랑해, 우리 딸."

엄마와의 통화는 그렇게 끝이 났다. L은 이번에도 엄마에게 자신이
진짜로 하고 싶었던 말을 전하지는 못했다. 당신을 미워했다고. 원망
했다고. 하지만 진심으로 당신이 필요했다고. 당신의 사랑을 갈구했
다고. 그리고 고맙다고…

그럼에도 불구하고 L의 마음은 그 어느 때보다도 후련했다. 어느새
한강 대교 위에는 차가 거의 지나고 있지 않았다. 차가 없는 한강 대교
위는 그 전보다도 훨씬 어두워져 있었다. 그때, L의 눈 앞에서 가로등

하나가 깜박이더니 이내 불빛이 켜졌다. 가로등에서 나온 불빛은 조용히 L을 향해 한 줄기의 빛을 내려주었다. 그 빛은 한강 대교 위를 환히 밝힐 만큼 밝지는 않았지만, 그 초라한 빛 한 줄기가 오늘따라 L은 너무나도 눈이 부셨다. 그 가로등 불빛을 뒤로 한 채 L은 집으로 발걸음을 옮겼다.

　끝.

덧대어진 시간

이희주

이희주   피아노를 전공했지만 현재는 퍼포먼스 마케터로서 활동하고 있는 30대 직장인. 평소 독서가 취미이나, 글을 읽는 것보다 쓰는 게 더 좋다는 걸 알게 된 후로는 제2의 직업으로 작가가 되기 위해 나아가고 있다

blog: https://blog.naver.com/kes00906

email: kes00906@naver.com

광화문

"5월까지만 근무하고 그만두겠습니다."

월요일 오후 3시, 여느 때와 다름없이 '이슈 사항 없습니다'라는 대답을 기대하며 '팀 이슈 있나요?'라고 물어봤던 상사는 입으로 가져갔던 커피를 멈칫한 후 나를 쳐다봤다.

"뭐?"

"그만두겠습니다. 업무 인수인계는 잘하고 마무리할게요."

"갑자기? 왜? 잘 다니고 있는 거 아니었어?"

대답할 틈도 없이 빠르게 반문해 오는 걸 보니 정말 조금도 예상하지 못했던 것 같다. 아무렴, 그렇겠지. 겉으로 티 내는 순간 무너지는 거라 생각하며 힘들 때마다 입술을 질근질근 씹으며 버텨왔으니까. 그렇게 몇 달이 지나고 몇 년이 되니 내가 미쳐버릴 지경이었다. 퇴사 카드까지 던진 마당에 더 괜찮은 척을 할 수 없어 깊게 숨을 들이쉰 후 내뱉으며 말했다.

"네, 힘들어요. 그래서 그만두고 당분간 좀 쉬려고요."

힘이 빠져 보이지만 끝은 단호하게, 그만두겠다는 의사를 밝힌 나를 보며 상사는 잠시 생각하는 듯했다. 내가 팀에 끼치는 영향이 적진 않기에, 그만둔다는 걸 바로 받아들이기엔 아마 시간이 필요할 것이다. 5월까진 앞으로 한 달 반. 인수인계까진 충분하다고 생각하는데 상사로선 생각도 못 했던 칼이 몇 자루 날아온 격이니, 여간 당황했는지 입으로 가져갔던 컵에 담겨 있던 걸 넘기지 못하고 그대로 책상 위에 탁, 내려앉았다. 안 그래도 곱슬곱슬한 머리를 마구 헤집으며 시선을 다른 곳으로 돌렸다 다시 나를 바라봤다 반복하던 상사가 손끝으로 책상 위를 탁탁, 탁, 반복적으로 치면서 가만히 생각하다 숨을 크게 들이쉬고는 이내 마음먹었다는 듯 답변했다.

"쉬고 와요. 3주 시간 줄 테니 쉬고 와서 다시 얘기합시다."

"네?"

쉬고 오라니, 안 그래도 바쁜 업무에 3주간 쉬고 온다는 건 말이 안 되는 거다. 아예 그만두면 대체자라도 추가가 되어 손이라도 늘지만, 지금 당장 내가 쉬고 온다면 진행되는 프로젝트에 심각한 영향을 미칠 것이 분명했다. 그럴 수 없다. 답변하려는 찰나, 눈치 챘는지 상사가 빠르게 이어 말했다.

"업무 걱정은 말고, 내가 알아서 할 테니까 일단 쉬고 와요. 그동안 제대로 쉬지도 못했잖아. 쉬고 와서도 마음이 그대로면 그때 제대로 일정 잡읍시다."

"그래도 지금 상황에서 쉬는 건 저에게도 회사에도 아무런 도움이 안 돼요."

"그건 모르는 거니까, 일단 쉬고 와요. 머리 좀 식히면서 생각해 보자고."

"그럼… 언제부터 쉬는 건가요? 아니… 이게 진짜 말이 안 되는 것 같은데……."

아무리 생각해도 아닌 것 같아 상사를 설득해 보려 말을 늘렸지만, 곧바로 가로채며 단호하게 쉬다 오라고 했다. 마치 이게 답이라도 되는 것처럼, 이 방법이 현재로선 최선이라는 듯한 뉘앙스였다.

"상관없으니까 쉬고 와서 얘기해요. 내일부터 휴식이니까 그렇게 알고, 3주 뒤에 봐요."

그렇게 말하곤 노트북을 탁, 하고 닫아버린 상사를 보며 나도 모르게 점점 벌어지는 입을 다무는 걸 까먹었다. 이렇게 갑자기? 말이 돼? 안 일어나냐는 듯 내 자리와 창가 쪽을 번갈아 보던 상사는 더 이상 나와 협의할 의사가 없어 보였다. 어쩔 수 없어 나 또한 노트북을 닫았고, 그걸로 우리의 대화는 종료됐다.

"3주 뒤에 봐요."

그렇게 내 말도 안 되는 휴가가 시작됐다.

순천역

계획된 휴가가 아니라서 당장 어딘가로 떠나기엔 그것조차 스트레스였다. 그래도 아예 떠나진 않을 수 없어 고민하다 핸드폰과 지갑만 챙기고 나오며 언니한테 전화를 걸었고 무신경한 말투가 들려왔다.

"왜?"

"나 지금 순천 간다. 7시 도착."

"갑자기?"

전과는 정반대의 톤으로 되려 물어본 언니는 상황을 꼬치꼬치 캐물었고, 역으로 걸어가며 그간의 상황을 설명했다. 평소였다면 '그러게, 자기 밖에 없듯이 일하더니 결국 병이 났네', '그럴 줄 알았다 그렇게 일하면 병난다니까' 등의 말로 걱정 반 책망 반을 했을 텐데, 의외로 별말 없이 잘됐다며 내려와서 보자는 언니 목소리가 싫진 않았다.

평일이라 내려가는 기차는 상대적으로 한산했고, 가는 내내 이 상황이 뭔지 나조차도 낯설게 느껴졌지만, 한편으론 일탈하는 기분도 살짝 들어, 나도 모르게 흥얼거리며 핸드폰으로 이곳저곳 찾아봤다. 상경 후 이렇게 장기간 본가에서 시간을 보낸 적이 거의 없었기에, 나름대로 여행 온 기분도 들고 부모님과 언니를 볼 생각에 설레는 마음도 들곤 했다.

순천에서 작은 펜션을 운영하시는 부모님은 아버지 퇴직 후 노후 자금으로 순천에서 작은 펜션을 운영하기 시작해, 지금은 꽤 성실하게 즐기면서 지내시고 있다. 작년에는 언니가 펜션 근처에 애견숍을 개원하면서 딸이랑 더 가까워졌다고, 이제 나만 내려오면 될 텐데 먼 타지에서 고생한다며 안타까워하던 터라, 이번 내 휴식이 부모님께는 오히려 딸과 함께 할 수 있는 좋은 시간이 될 것 같다. 늘 부모님은 내가 회사에 열정을 다하는 걸 걱정하셨는데, 그렇게 일하다 개인의 시간을 모두 놓치고 번아웃이 올까 우려가 컸던 것 같다. 적당히, 거리를 두고 일을 하는 게 중요하다고 늘 말했지만, 성격상 그러기 어려웠기에 120%로 일을 했고, 결론은 번아웃으로 휴가를 떠나게 된 거다.

'가면 머리 스타일부터 좀 바꿔야겠다.'

얼마나 신경을 안 썼는지 밝은 갈색으로 염색한 머리 위에 검은색 본 머리가 눈썹까지 내려앉아 언뜻 보면 푸딩 같아 보이는 머리에, 그새 광대 근처까지 늘어난 기미, 늘 꼬리까지 빠짝 끌어올려 꼼꼼하게 채웠던 아이라인은 이미 희끗희끗 지워진 지 오래다. 야근을 반복하다 보니 이제 화장도 귀찮아져 대충 쓱 그리고 와서 지워진 채로 일에 몰두했을 땐 이 얼굴이 익숙했는데, 여행길에 이리저리 화장도 하고 옷도 예쁘게 꾸민 다른 사람들을 보니 스스로 상태가 꽤 누추하다 못해 심각하다는 걸 느꼈다. 아무도 쳐다보지 않지만, 왠지 모르게 부끄러워져 내충 설치고 나온 옷의 후드를 끌어내려 쑥 눌러쓴 다음 이어폰을 끼고 눈을 감았다.

순천에 도착하자, 걱정스러운 표정으로 마중을 나온 부모님에게 나름 홀가분한 표정을 지으며 휴가 차 왔다 했더니, 보자마자 손을 잡고 어쩐 일이냐 묻던 엄마의 표정이 조금 풀어지는 듯했다. 아빠는 별말 없이 차로 이동했고, 그렇게 셋이 차를 타고 집으로 이동하는 내내 별다른 말은 없었다.

펜션 내 관리실 겸 거주를 위해 지은 집에 도착해 곧바로 거실에 앉았다. 엄마는 짐을 풀라고 했지만, 딱히 들고 나온 것도 없고 언니 옷을 입으면 되는 터라 바로 거실에 드러누워 팔다리를 이리저리 휘저어도 보고, 뒹굴뒹굴 굴러도 보며 아직도 믿기지 않는 휴가 느낌을 애써 더 느껴보려 했다.

"네가 갑자기 쉰다고 했어? 그래도 된대?"

아무래도 그간 휴가 없이 지내오던 내가 3주의 휴가라니 어지간히 걱정이 되셨는지 과일을 가져와 식탁 위에 올려놓음과 동시에 끊임없이 질문해 왔다.

"그냥 좀 피곤해서 쉰다고 했어. 그간 쉬지도 못했고… 회사 일은 부장님이 알아서 하신다고 하더라고. 오히려 잘됐지, 뭐, 좀 쉬어야 해."

"그래도 3주씩이나 쉬는 건 말이 안 되지 않니? 일은 어떡하고?"

"쉬게 안 하면 어쩔 건데? 나 같은 인재를."

아무리 그래도 부모님을 걱정시키고 싶진 않아 인과관계를 바꿔 설명했지만 딱히 양심에 찔리진 않았다. 일부 맞는 말이니까.

"그건 맞는 말이지. 잘됐네. 쉬는 김에 여기 와서 관리 좀 도와. 안 그래도 아빠가 요새 기침이 심해져서 힘들어하더라."

"그러니까 왜 그런 투어를 시작해서 그래. 그게 얼마나 성가신데."

부모님이 하루에 하는 일은 펜션 관리인으로서 단순하다. 오가는 사람 일정에 맞춰 방을 안내하고, 난방이나 하루 생활에 필요한 것들이 제대로 운영되고 있는지 시간 맞춰 체크하는 것들. 가끔 등장하는 소위 무례한 손님들만 아니면 꽤 평온하고 규칙적인 생활인데, 요즘 들어 그 무례한 손님이 없어 심심했는지 '순천 투어'라는 걸 열었다고 한다. 유명한 관광지인 송광사, 선암사부터 시작해 낙안읍성, 와온해변 등 주변 볼거리 등을 투어 할 사람을 모으고 모집된 사람들을 일정 맞춰 데려다주고, 기다렸다 데리고 오는 그런 투어. 시작한 부모님 마음을 모르진 않기에 딱히 말을 얹진 않았지만, 그 때문에 고생한 아빠를 보니 마음이 안 좋은 건 어쩔 수 없었다.

"그래도 나름 재밌어. 너도 바람 쐴 겸 다녀와. 이따 5시쯤 나가서 와온 한바퀴 돌고 오면 되고, 7시까지 맞춰 오면 돼. 오늘은 두 시간 코스라 할만해."

"그냥 데려다만 주면 돼?"

"어, 오히려 거기에 네가 끼면 더 이상하고 재미없어. 갔다가 주차장에 차 대고 너도 한바퀴 돌다가 시간 맞춰 끄집고 와. 그럼 알아서 바비큐 해 먹고 그러더라."

할 말이 끝났는지 엄마는 창고로 향했고, 나는 편한 옷으로 갈아입고 관리센터에 나가 앉아있었다. 거기엔 오늘 하루 숙박을 신청한 사람들의 정보와 함께 특이 사항이 함께 적혀 있었는데, 대부분 (1) 와온투어 신청합니다. 혹은 (2) 바비큐 신청합니다. 가 전부였다. 그 중에 하나 눈에 들어왔던 건 (1) 와온투어 신청하는데 혼자만 있고 싶습니다. 따로 움직일게요. 라는 요청 사항이었는데, 굳이 따로 움직일 거왜 신청하는지 모르겠지만 흔히 '극성' 뭐 그런 건가 싶어 깊이 생각하지 않았다.

푸딩 같은 머리, 제대로 먹지 못해 꼴사납게 빠진 살로 팬 볼, 옷은하나도 가져오지 않아 나보다 5센티미터나 작은 언니 옷을 입었더니팔도 짧고 다리도 짧다. 3월이라 해도 꽤 쌀쌀했기에, 짧은 옷을 괜히당겨보며 의자 뒤에 걸려 있던 흰색 후리스를 껴입고는 머리를 질끈묶었다. 서랍을 뒤져보니 언니가 쓰는 건지 검은색 아이라이너를 비롯해 이것저것 화장품이 있었다. 얇은 쌍꺼풀에 맞춰 아이라인을 쓱 그려보기도 하고, 기분 낼 겸 위에 분홍색 섀도도 얹으면서 나름 흥이나콧노래를 흥얼거린 찰나, 관리소 문이 찰칵하고 열렸다.

"안녕하세요."

"아… 네 숙박하시나요? 성함은요?"

"박재우입니다."

갑작스러운 방문에 꽤 당황했지만, 티를 내지 않고 자리로 가 노트북을 펴 이름을 찾아보니 이름 옆에 '특이 사항 (1) 와온투어 신청하는데 혼자만 있고 싶습니다'가 눈에 띄었다. 누군지 궁금했던 터라, 미리뽑아져 있던 숙박 안내 프린트를 챙기며 눈만 흘겨 위아래로 슬쩍 훑어봤다.

175센티는 넘어 보이는 키에 꽤 덩치가 있는, 그렇다고 살집이 있는 편은 아닌 데다 머리부터 옷까지 무채색인 부분이 꽤 단정한 사람으로 보였다. 굳이 남기지 않는 특이 사항을 남길만한 사람으로 보이진 않았지만 그렇다고 너무 멀쩡해 보이는 것도 이상했기에 의심스러운 마음을 거두진 않았다.

"펜션 규정이에요. 어디나 다 있는 숙박업소 규정이라고 보시면 되니까 한번 읽어 주시면 될 것 같고요, 오늘 바비큐는 따로 안 하셨고 와온 투어 신청하신 거 맞으시죠? 이따 5시에 출발하니까 여기 관리소 앞으로 오시면 다 같이 움직일 거예요."

이미 규정 사항 안에 모든 내용이 있기에 대답과 질문은 귀찮았다. 빠르게 하고 싶은 말을 내뱉고선 다시 노트북 앞으로 가서 앉아 아직 오지 않은 사람들의 이력을 훑어보고 있었다. 남자도 알겠는 듯 고개를 끄덕이며 뒤돌아 성큼성큼 문으로 걸어가다 멈칫, 뒤 돌아 빤히 나를 쳐다봤다.

'뭐지?'

아무 말 없이 쳐다보는 남자를 보며 눈을 마주쳤다가 다른 곳으로 눈을 돌려 모르는 척을 했다. 갑자기 저렇게 쳐다보면 어떻게 반응해야 할 지도 모르겠고, 지극히 내성적인 성격 탓에 모르는 누군가와 단둘이 이야기를 길게 나누는 걸 선호하지 않아 계속 빤히 쳐나보는 남자의 시선이 부담스러웠다. 뒤 돌아 자리에 있는 펜션 물품들을 정리하는 척 시선을 끌고 있는데, 그때 뒤에서 남자의 목소리가 들려왔다.

"한쪽, 아직 안 그려진 것 같은데 이따 다 그리고 나오세요."

아, 예… 아이라이너를 다시 꺼냈다.

와온해변

투어는 총 2시간, 와온해변으로 이동하여 경치가 좋은 카페에서 커피 한잔을 하고 노을 지는 것까지 본 후 돌아오는 코스다. 순천만에서도 멀지 않고 굳이 시내까지 나가지 않아도 노을 진 습지 풍경을 볼 수 있기 때문에 고요한 분위기를 좋아하는 사람들 사이에선 꾸준히 인기 있는 코스이다. 오늘 투어를 신청한 사람은 총 7명, 그중에서도 홀로 구경하겠다고 선언한 한 명을 제외하곤 전부 비슷한 나이 또래로 보였다. 커플부터 대학생 친구들로 보이는 사람들까지 이미 서로 짝을 지어 차 앞에 대기해 있었고, 짧은 인사와 함께 곧바로 차를 타고 이동했다.

차 내부엔 시끄럽진 않지만 작게 기대감에 찬 사람들의 대화 소리가 오갔고, 오랜만에 업무 이야기가 아닌 일상적인 대화를 듣고 있음이 나쁘지 않았다. 다들 짝이 있었기에 자연스레 운전하는 옆자리엔 그 남자가 앉았는데, 그 또한 이 상황을 즐기고 있는지 아무 말 없이 밖을 바라보고 있었고 이어폰을 끼거나 핸드폰을 하진 않는 것 같았다.

"도착했습니다. 여기 카페는 이동 거리가 좀 길어서 가장 중간에 위치한 카페로 왔는데요, 2층에 야외석도 있어서 거기서 좀 쉬시면서 노을 지는 걸 봐도 되고, 좀 걸어서 해변 안까지 들어가시는 것도 추천해드려요. 자유롭게 시간 보내시다가 7시에 여기에서 모이도록 할게요. 궁금하신 부분 있으시면 카톡이나 전화 주세요."

말이 끝나자마자 사람들은 제각각 흩어졌고, 그 남자는 주변을 둘러보더니 카페로 들어갔다. 원래 카페에 데려다주고 펜션으로 돌아가도 되지만, 오랜만에 여유로운 평일을 보내는 느낌에 나도 모르게 설레는 기분이 들어 조금 더 즐겨보고자 카페로 들어갔다.

"카라멜마키아토, 따뜻하게 한 잔 주세요."

커피는 늘 출근길 잠을 깨우기 위한 수단일 뿐이었는데, 모처럼 달콤한 커피를 주문해 기다리고 있는 이런 상황이 자신도 낯설게 다가왔다. 그렇지만 낯선 느낌과는 다르게 콧노래가 흘러나왔고, 뷰를 즐기고자 앉을 곳을 찾기 위해 두리번거렸다.

"여긴 2층 테라스를 무조건 가야 해요."

"네?"

갑작스러운 말에 흠칫 뒤를 돌아보니 아까 카페로 들어간 그 남자가 나를 향해 서있었다. 방금 받았는지 아직 김이 모락모락 나고 있는 커피를 손에 쥐고 무심한 듯 표정 없는 얼굴로 한 번 더 말했다.

"테라스에서 보는 경치가 제일 좋아서, 커피는 테라스에서 마셔야 해요."

무슨 상황인지 파악이 안 되어 아무 대답 못하고 가만히 서있자, 내 뒤에서 들리는 '카라멜마키아토 나왔습니다' 소리에 커피를 대신 받아 들고는 다시 앞으로 와 2층을 향해 고갯짓했다.

얼떨결에 서로 마주 앉긴 했는데, 남자는 더 이상 나에게 말을 걸거나 쳐다보는 것 없이 오로지 혼자만의 시간을 즐기는듯했다. 커피를 좋아하는지 향도 맡아보고 천천히 음미하면서 멍하니 밖을 바라보다 또 천천히 한 모금 마시는 행동이 무척이나 자연스러워서, 오히려 내가 커피를 한 모금도 마시지 못하고 계속 손을 허벅지에 쓸며 엉덩이를 살짝 들었다 앉으며 불편한 티가 났다. 반면, 여유로운 그의 모습이 시선을 한곳에 두지 못하는 나와는 상반되게 느껴졌다.

"혼자인 사람들끼리 같이 앉아 있으면 덜 외롭잖아요."

"전 외롭다고 생각한 적 없는데요."

"난 그렇다고요."

"혼자 시간 보내고 싶다고 하시지 않았어요? 갑자기 왜……?"

"외로워서요."

"그럼 다른 분들하고 같이 가시면 되잖아요."

"혼자 있고 싶거든요."

"아니… 조금 전엔 외롭다면서요."

이 무슨 도돌이표 대화인지, 결론 없는 대화를 이어가는 걸 선호하지 않는 터라 슬슬 짜증이 나려던 찰나, 남자가 커피 한 모금을 홀짝, 마시더니 탁하고 책상 위에 내려놓고 시선을 내 쪽으로 돌렸다. 무슨 할 말이 있는 건지, 알 수 없단 표정으로 쳐다보니 그런 내가 흥미로운 듯 시선을 피하지 않고 바라보더니 다시 말을 이어갔다.

"그냥 같은 공간에 있고 싶었어요. 서로 말을 하지 않더라도 공간을 공유하고 있으면 함께하는 기분도 들고 그렇잖아요. 사장님도 그게 필요해 보여서요."

"제가요? 전 그냥 혼자 있는 게 편해요."

"늘 함께 있었을 것 같은데?"

그건 맞다. 회사에선 이미 팀의 리더 자리에 있었기 때문에 좋든 싫든 매일 팀원들과 부딪쳐야 했고, 잠깐이라도 혼자 시간을 보내려고 하면 광고주 미팅에 내부 회의까지 겹쳐 시달릴 대로 시달리는 편이었다.

"특별히 무슨 말을 꺼내지 않아도 되고, 말을 이어가지 않아도 돼요. 없다고 생각하는 거죠. 그냥 같이 커피 마시는 분위기와 경치를 나누는 정도?"

"…어떻게 앞에 있는데 없다고 생각해요."

"그러면 있다고 생각하고 말해요."

"아니 전 혼자 있는 게 편하다니까요."

"그러면 없다고 생각하라니까요."

또 반복이다. 마치 귀에 걸면 귀걸이, 코에 걸면 코걸이 같은 대화가 이어지는데 웬일인지 아까처럼 짜증이 나지 않고 어이없음에 피식하고 웃음이 터져버렸다. 남자는 다시 커피잔을 들어 입으로 옮기며 나에게도 마셔보라는 듯 잔을 살짝 들어 올리는 시늉을 한 뒤 말을 이어갔다.

"그러려니 해요. 그게 좀 필요해 보여요."

"왜요? 처음 보셨는데 어떻게 아세요?"

"그냥 그래 보여요. 그러려니 하라니까요."

아무 의미도 없고 결론도 없는 대화, 그렇다고 뭔가를 규정짓거나 결정하지 않으니 오히려 편안하기까지 한 대화가 이어졌다.

"꼭 답이 있는 대화를 해야 하는 건 아니잖아요. 이렇게 아무 말이나 서로 하다가, 또 할 말 없으면 밖을 보면서 노을 지는 것도 보고 멍도 때려보고. 그러다 시간 되면 가는 거죠."

"너무 할 일 없어 보이지 않을까요…? 아무 의미 없게 시간을 보내는 거잖아요."

"그러려고 여기 온 거잖아요. 힐링이라고나 할까?"

남자의 말이 맞다. 아무 생각 없이 시간을 보내러 왔으면서, 난 또 여기서 행위에 대한 의미를 찾고 결과물을 남기고자 했다. 어느새 남자의 말에 신뢰가 생기면서 순순히 따르고 있던 스스로였다. 아직은 약간 쌀쌀한 듯, 찬 공기가 코끝을 스치면서 주변의 대화 소리가 백색소음처럼 느껴지고 끝없이 펼쳐진 갯벌 해변이 눈에 펼쳐졌다. 주변 소리에 예민해 카페에 와선 꼭 이어폰을 끼고 소음을 차단했었지만, 이 순간만큼은 모든 게 그대로 받아들여졌다. 점점 붉은색에서 보라색으로 바뀌는 갯벌 빛을 보다 이젠 더 이상 김이 나지 않는 마키아토를 처음으로 입에 가져가 봤다.

"달아……."

달다고 말하며 약간 찌푸려지는 미간을 본 건지, 남자는 내 커피를 슬쩍 보더니 절반 정도 남은 자기 커피를 내 앞에 밀어두고 본인은 마키아토를 가져가 마셨다. 평소 같으면 왜 내 걸 마시냐, 마시던 걸 주면 어떡하냐는 둥 하나하나 따지고 들었겠지만, 별말 없이 남자가 마시던 커피를 한 모금 마시고는 쌉싸름하면서도 고소한 풍미가 입안에 퍼지는 걸 느끼곤 작게 고개를 끄덕이며 다시 한 모금 더 마셨다.

그냥 그러려니 했다. 그래도 될 것 같았다.

마당

이후로 남자와는 거의 대화를 나누지 않았다. 마치 남자의 말처럼 서로 혼자의 시간을 갖는 건 맞지만 공간을 공유했기 때문에 덜 외로운, 어찌 보면 함께 나누기도 한 듯한 느낌이 든 채로 시간이 흘렀고, 7시가 다 되어 커피를 반납하고 사람들을 맞이하고, 다시 펜션으로 돌아왔다. 투어를 가지 않은 손님들은 이미 바비큐를 시작했고, 나도 집으로 돌아와 저녁을 차리고 있는 엄마를 도왔다.

"잘 다녀왔어? 어땠어?"

"그냥 뭐… 데려다주고 난 카페에 있었어."

"오랜만에 가니까 좋지? 오늘은 날도 좋아서 노을도 예뻤겠네."

"응 뭐… 좋더라."

오랜만에 딸 왔다고 내가 좋아하는 음식들로만 잔뜩 준비한 엄마를 보니 미안하면서도 뭉클한 마음이 들었다. 이전까진 괜찮았는데 음식을 보니 그제야 오늘 한 끼도 챙기지 않았다는 걸 알았고, 그때부터 배가 엄청나게 고파지기 시작했다.

"너무 맛있겠다. 얼른 먹자, 엄마."

생선구이부터 갈비찜, 잡채까지. 허겁지겁 먹고 있으니, 부모님이 평소 나누시던 이야기를 이어갔다.

"108호는 금요일에 나간다네."

맥주 한 캔을 가져와 잔에 따르던 엄마가 말을 이어갔다.

"일 시작할 준비 해야 하나 봐."

"뭐 한다고 했지?"

엄마가 따르다 만 맥주를 가져가 마시며 아빠가 물었다.

"선생이래. 고등학곤가 중학곤가 모르겠네……."

엄마는 예전부터 워낙 오지랖이 넓어 오는 손님들한테 이리저리 말도 잘 붙이고 특히 장기 투숙하는 사람들하곤 같이 술 한 잔도 하는 편이었다. 그래서인지 108호에 대해서도 잘 알고 있는 것 같았다.

"108호가 누군데?"

맛있게 양념이 발라진 갈비찜을 한 입 뜯으며, 엄마에게 물었다.

"그 있어 젊은 총각 하나. 온 지 한 일주일 됐나? 친구랑 같이 온 것 같은데 거의 혼자 있더라고."

"혹시 그 키 크고 혼자 다니는? 오늘 투어 갔던… 박재우인가?"

엄마가 말하는 사람이 그 남자인지, 문득 궁금해져 물어봤다.

"어어, 맞아. 꽤 오래 있었어. 임용됐는데 시간이 남아서 바람 쐴 겸 내려왔다고 하더라고. 곧 간대, 일해야 하니까."

뭔가 여유로움이 느껴졌는데, 역시 아직 일 하지 않았구나. 보통 일 하는 사람들은 여유가 있더라도 어딘가 쫓기는 듯한 느낌도 들고 실제로 쉴 수 있는 시간이 많지 않기에 여행 기간 내 이것저것 다 해보려고 하는 편인데, 그는 생각보다 너무 여유 있는 행동을 보여 궁금하던 차였다. 이후 엄마의 목욕탕 사람들 얘기, 아빠 친구들 얘기 등을 들으며 만족스러운 식사가 끝났고, 정리 후 불린 배도 꺼트릴 겸 외투를 걸치고 밖으로 나갔다.

슬리퍼를 끌며 마당을 넘어 펜션 울타리 쪽으로 넘어가니 바비큐를 끝내고 불멍을 하는 집들이 몇몇 있었다. 입구 쪽 그네에 앉아 멀리서 불씨를 바라보고 있자니, 애써 지웠던 현실 생각이 밀려오기 시작했다. 어찌저찌 내려오긴 했는데, 막상 뭘 해야 하는지도 모르겠고 이렇게 쉬고 있어도 되는지 모르겠기에, 금세 복잡해진 머릿속에 저절로 한숨이 나왔고, 슬리퍼 앞 코로 모랫바닥을 콩콩 찧으며 한숨을 이어 쉬었다. 남들은 불씨를 보며 무슨 생각을 할까. 행복하다, 또 오고 싶다는 그런 생각? 닥쳐올 현실에 한숨이 나는 건 나뿐인지, 주머니에 넣어 주먹을 쥐고 있던 손에 힘이 늘어가고, 고개를 뒤로 셋혀 어누워진 하늘을 바라봐도 답답함이 풀리진 않았다. 그때 저벅저벅 이쪽으로 향하는 발걸음이 들려왔고, 소리를 향해 고개를 돌려보니 낮에 봤던 그 남자, 엄마의 108호 남자가 내 쪽을 향해 걸어와 옆에 있는 의자에 앉았다.

"갑자기 왜… 꼭 여기 앉으셔야겠어요?"

"그럴 수도 있죠."

매번 이런 식이다. 내가 묻는 것에 다 그럴 수도 있다, 대답해 항상 내 질문이 예민해 보이게 만든다. 뭐가 그럴 수 있는 건지, 왜 다 괜찮은 건지 이해가 되지 않았다.

"답답해 보이셔서."

앉아 있는 자신을 향한 내 시선과 표정이 굳어진 후 풀리지 않은 걸 본 건지, 먼저 눈치채 말을 건네왔다. 무시하고 그냥 일어서면 되는데, 내 몸은 그러지 못했고 꼭 쥐어져 있던 주먹에 힘이 풀리며 다시 한숨을 한 번 내쉬며 말했다.

"그냥… 답답해서요. 쉬러 왔는데 쉬는 것 같지도 않고, 사실 어떻게 쉬어야 할 지도 모르겠어요. 쉬면 달라질까… 이러고 있는 시간이 사치라고 느껴지기도 하고 의미 없다고 생각해서 좀 짜증도 나고 그래요."

"많이 지쳤나 봐요."

"…그렇죠. 더 힘을 내야 하는데 사실 어떻게 힘을 내야 할지도 모르겠고… 막상 내려와 보니 여긴 또 너무 현실이랑 달라서 어떻게 적응해야 할지도 모르겠어요."

처음 만난 사이라 그런가, 나도 모르게 내 속사정에 대해 상세하게 말하기 시작했다. 오히려 친한 친구나 부모님, 그리고 언니한테 말하는 것 보다 편하게 느껴졌던 건 아마 곧 헤어질 사이라는 점이 이유가 됐을 것이다.

　남자는 더 대답하지 않고 가만히 어딘가를 바라보고만 있었고, 장작 타는 소리와 함께 이곳저곳 들려오는 웃음소리에 비해 이곳 공기는 더더욱 무겁게만 느껴졌다. 마치 그게 내가 만들어낸 결과인 듯 느껴져 미안한 마음도 들었다. 그때 한동안 멀리 시선을 두고 있던 남자가 낮지만, 꽤 힘이 실린 목소리로 말을 이어갔다.

　"피하려고 하지 마세요. 지금 여기에 있다고 해서 사장님의 현실이 사라지는 것도 아니고 바뀌는 것도 아니잖아요. 오히려 이번 기회에 본인이 진짜 원하는 게 뭔지, 왜 일을 그렇게 하려고 했는지를 다시 한번 생각해 보세요. 막상 싫진 않았을 수도 있잖아요. 그냥 너무 오래 한 곳에 있다 보니 잠시 답답해졌을 수도 있고, 흔히 말해 권태기가 왔을 수도 있으니까요. 좀 더 감정을 피하지 말고 부딪쳐 보는 건 어때요?"

　날 처음 봤더라도 이런 상황은 꽤 겪어봤다는 듯한 남자의 말에 나도 모르게 고개가 끄덕여졌고 답답하게 막혀있던 숨소리가 차분해졌다. 그가 말한 단어 중 '권태기'라는 말이 머릿속에 맴돌면서 마치 내가 스스로에게 권태기를 겪고 동굴 속으로 들어온 듯한 느낌이 들었다.

　"많이 보셨나 봐요. 저 같은 상황들."

　"저도 꽤 힘들었었거든요."

　"잘 이겨내셨을 것 같아요."

힘들었단 그의 말에 나도 모르게 빠르게 대답해 버렸다. 그에겐 고민이라든지 고난이 없었을 것 같이 보여서인가, 힘들었단 말이 그와는 어울리지 않았다. 그런 내 말에 남자는 순간적으로 눈이 커지며 나를 바라봤다가 이내 고개를 숙이며 웃음을 터트렸다.

"아니… 왠지 그래 보여서요. 그냥……."

말에 대한 해명을 하자니 그것도 웃기고, 뭐라 더 말할 수 없어 말끝을 얼버무리며 주머니에 넣고 있던 손을 빼 뒷머리를 한번 다듬었다가 다시 주머니에 넣었다. 아까까지만 해도 공기가 찼는데, 온기가 더해져서 그런지 지금은 꽤 견딜만했다.

이후 그와는 왜 여기 놀러 오게 됐는지, 앞으로 어떤 일을 하게 될 건지, 같이 온 친구는 어디 간 건지 등의 사소하면서도 서로의 생활이 드러나는 이야기를 나누었고, 시간은 훌쩍 지나 어느덧 저녁 10시를 넘어가고 있었다. 생각보다 대화가 끊이지 않고 이어짐에 불편함이 없었고, 대부분 남자가 말을 던지고 내가 대답하면 그거에 또 남자가 말을 이어가는 형태였다. 애써 이야깃거리를 생각하지 않아도 됐고, 나에 대해 감출 필요도 없으며 그렇다고 드러낼 필요도 없이 그냥 그렇게 일상적인 대화가 이어갔다. 그때, 남자의 핸드폰이 울렸고 화면을 슬쩍 보더니 남자는 핸드폰을 주머니에 넣은 채 일어설 채비를 했다.

"내일도 투어 하세요? 같이하지만… 혼자처럼?"

왠지 궁금해서, 남자라면 내일도 투어를 가서 혼자만의 시간을 보낼 것 같아 물어봤다. 내 질문이 웃겼는지, 아니면 대답을 피하고 싶은 건지 아까와 똑같이 고개를 숙이고 웃어 보이는 남자를 보며 더 물어 보진 않고 겉옷을 당겨 입으며 일어났다.

"고마웠어요. 얼른 가보세요."

덕분에 생각보다 아무 고통 없이 하루를 마무리할 수 있었기에 고마움을 전했다. 어찌 보면 불에 타는 장작을 보며 이곳에 내려온 것, 또는 바보 같이 회사에 붙잡힌 것에 대해 후회와 푸념을 늘어놓을 수도 있었던 시간에 그가 나타나 준 덕분에 불안의 고리를 끊고 일상의 이야기를 할 수 있었다. 그런 내 마음을 아는 건지, 남자는 고맙다는 말에 별것 아니라는 듯 웃어 보이고는 가볍게 고갯짓을 한 후 제 숙소로 걸어갔다. 돌아서는 뒷모습에 나도 더는 머무르지 않고 뒤 돌아 집으로 발걸음을 떼는 그때, 숙소로 가던 남자가 발을 멈춰 세우곤 뒤 돌아 말을 건넸다.

"투어 해요."

"네?"

멀리 가진 않아 남자의 말이 잘 들렸지만, 순간 어떤 의미인지 모르겠기에 곧바로 되물었다. 똑바로 돌아서서 나에게 말하던 남자는 한 번 더 웃어 보이고는 오른손을 주머니에서 꺼내 나에게 흔들어 보이며 말했다.

"내일 투어 해요, 둘이."

아직 어둡지만은 않았던 밤이었다.

선암사

아침부터 바빴다. 예약해 둔 미용실에 가서 푸딩 같은 머리도 밝은 갈색으로 덮었고, 눈을 찌르던 앞머리는 짧게 쳐 눈썹까지 훤하게 보이도록 다듬었다. 터치 몇 번에 새로운 옷을 입은 듯한 느낌이 들어 펜션으로 돌아가는 길 내내 발걸음이 가벼웠다. 짐을 제대로 챙겨오지 않았기에 언니 방에서 옷을 몇 벌 꺼내어 거울 앞에 계속 대보고 있으니, 출근 준비를 하던 언니가 들어와 한마디 거들었다.

"그게 그거야."

"달라, 퍼스널컬러라는 게 있다고."

"아는데, 넌 그런 거 안 어울려."

보라색 파스텔톤이 은은하게 담겨있는 니트를 몸 위에 걸쳐보며 이리저리 모양새를 보고 있는데, 언니가 다가오더니 파란색 셔츠를 던져주며 말했다.

"넌 어깨가 좁아서 그런 거 안 어울려. 이거 입어."

이유가 마음에 들진 않지만, 어쨌든 언니가 추천해 준 옷을 입어 보니 훨씬 시원해 보이고 지금 입은 검정 바지에도 잘 어울렸다. 밝게 물든 머리를 매만지며 조금 더 정돈을 해본 뒤, 마지막으로 화장이 지워지지 않게 메이크업 픽서까지 뿌리고 나섰다. 평소와는 다른 옷차림이었다.

"오늘 도착한 곳은 순천에서도 가장 유명한 절, 선암사입니다. 이곳은 순천을 대표하는 관광지이면서도 유네스코에 등록될 만큼 역사 깊고 유명한 곳이라 아마 한 번쯤은 들어보셨을 거예요. 지금부터 약 3시간 정도 걸릴 예정이고, 가서 원하시는 분들은 근처에서 식사하고 오셔도 됩니다.“

간단히 오늘 돌아볼 절에 대한 소개를 끝마친 뒤 이전 투어와 동일하게 개인 시간을 주었다. 대부분 펜션에 머무르는 손님들은 1박을 하는 경우가 많아 투어마다 인원이 바뀌는 경향이 있는데, 이번 투어에 유일하게 바뀌지 않는 손님이 있다면 108호 그 남자뿐이었다. 각자 함께 온 일행과 개인 시간을 보내러 한둘씩 떠났지만, 선뜻 내 발걸음은 떨어지지 않았다. 이전처럼 나 또한 오랜만의 선암사를 구경하기 위해 안쪽으로 걸어 들어가야 하는 게 맞는데, 어제 그가 말한 ‘투어 해요, 둘이‘라는 말이 머릿속에서 떠나질 않았다. 그렇다고 자연스레 같이 움직이는 건, 마치 그러면 안 될 것처럼 느껴져 더는 움직이지 못하고 괜스레 핸드폰만 바라봤다.

“확실히 절 투어가 좋긴 좋네요. 공기부터 다른 느낌이에요.“

뒤에 있는 날 알았는지, 늘 그랬듯 무미건조한 목소리로 그가 말한다. 그렇다고 대답해야 할지, 공기 좋으니 안으로 더 들어가 보자고 해야 할지 더 이상의 말을 이어가지 못하고 그의 뒷모습만 바라보고 있자 대답이 오지 않은 뒤를 그가 놀아봤다.

“갈까요?“

늘 이런 식이다. 내가 하지 못하는 말을 하고, 해도 되는지에 대한 겁부터 먹고 머뭇거리고 있으면 아무렇지 않게 이끌어준다. 오래 만난 사이가 아닌, 기껏해야 3일 본 게 전부인데 나에 대해 잘 알고 있듯 행동한다. 그리고 그걸 내가 따르고 있다.

나란히 늘어서 있는 관광 식당을 지나 이제 막 봄을 맞이하고 있는 숲길로 걸어갔다. 두 걸음에 주변 풍경을 한 번 볼 수 있는 속도로 천천히, 그러면서도 너무 늘어지지 않게. 그가 살짝 앞서가는 듯하면 내가 속도를 내기 전 그가 먼저 앞으로 떼는 발걸음을 조금 느리게 가져간다. 아무 말 없이, 오로지 함께 걷는 것에만 집중된 시간. 그렇게 걸은 지 30분이 지나, 선암사 절 입구에 들어섰고 따뜻해진 공기와 함께 사시사철을 다 느낄 수 있는 절의 풍경이 펼쳐졌다.

"와……."

누가 그랬던가, 선암사의 가장 큰 매력은 사계절을 오롯이 느낄 수 있다는 점을. 이제 막 피우기 시작한 꽃들과 옷을 바꿔입는 나무들이 우거져 있고, 단청을 새로 했는지 또렷해진 절의 색감이 조화롭게 어우러져 한 폭의 그림 같은 풍경이 펼쳐지니 나도 모르게 숨이 탁 트이는 느낌이었다. 빌딩과 미세먼지, 매연이 가득한 도시와는 전혀 다른 풍경이었다.

"가끔 와주면 좋아요. 서울에선 이런 풍경 보기 힘들잖아요."

말하지 않아도 생각이 공유된다는 느낌이 이런 걸까. 나와 생각을 맞추고 같은 방향을 바라보고 있다는 점에 두근거리며 동시에 심장 소리가 쿵, 쿵, 귓가에 들려왔다. 빠르진 않지만, 방아 찧는 듯한 소리에 혹시라도 그가 내 심장 소리를 듣진 않을까, 그래서 날 이상하게 바라보진 않을까 생각이 들어 서둘러 말을 이어갔다.

"서울에도 절이 있어요."

"어디요? 봉은사요?"

"네 맞아요. 알고 계시네요?"

"힘들 때 몇 번 가봤어요. 임용 준비 하면서 답답할 때면 가서 108배도 하고 왔고요. 뭐, 그게 완전히 다 이뤄질지는 모르겠지만."

"아… 절에 다니시나 봐요."

"천주교예요."

별 의미 없었는데, 툭 하고 건네진 그의 말이 광활하게 펼쳐진 절과는 너무 다른 세계의 말처럼 느껴져 나도 모르게 푸 하고 웃음이 터져 나왔다. 한번 터진 웃음은 멈추지 않았고, 허리를 굽히면서까지 웃어 재끼는 날 보더니 그도 함께 웃기 시작했다.

"아무 생각 없었는데 터졌네요."

이상한 사람처럼 보일까, 사실 그렇게 보여도 될 것 같은데 괜히 해명하고 싶어 터지는 웃음에 손으로 입을 가려 보이며 말했다. 그리곤 웃음이 멈춰야 하는데, 멈춰지지 않았다. 아니, 아마 멈추고 싶지 않은 쪽이 클 거다.

"그러게요."

이 상황이 재밌는 건지, 내가 웃은 게 웃긴 건지. 아니면 불어오는 바람이 가볍고 따뜻해서 그런 건지. 이후 대원전에서 절도 하고, 선암사 주변을 둘러보며 조금 더 깊이 들어가 산 주변 산책도 하며 대부분의 시간을 보냈다. 단청을 올려다봤을 때도, 돌아 내려오는 길에도 우리에게 엎어진 웃음은 스쳐 지나가지 않고 곁에 계속 머물렀다.

"이제 출발할까요?"

투어 종료 시각이 다가와 처음 출발지인 주차장에서 숙소로 돌아가려고 하는 그때, 이리저리 뭘찾는 것처럼 보이던 그가 다급해진 표정으로 안절부절못하더니 내 쪽으로 다가와 '먼저 가세요' 한 마디 던지고는 그대로 뒤돌아 갔다.

"왜…?!"

대답을 들을 새도 없이, 급하게 산 쪽으로 돌아가는 뒷모습을 바라보다 차로 돌아와 시동을 걸었다.

"……."

출발해야 하는데, 기다리고 있는 사람들을 데리고 다시 숙소로 가야 하는데 발이 떨어지지 않았다. 분명 무슨 일이 있는 것 같아 그를 여기에 내버려두고 갈 수가 없었다.

"죄송한데, 먼저 숙소로 돌아가세요. 정말 죄송합니다. 사정은 숙소에서 설명드릴게요."

황급히 옆자리에 탄 30대 여성분께 운전을 부탁했고, 당황한 표정으로 나를 바라보는 손님과 눈이 마주쳤지만, 상황을 설명할 시간이 부족해 우선은 키를 넘긴 후 그가 달려간 곳으로 따라갔다.

"잠시만요! 잠시만……!"

쉬지 않고 뛰어서 겨우 그의 뒷모습을 찾았다. 다행히 멀리 가진 않았지만, 모래 한 알이라도 뒤져보겠다는 듯 바닥을 전부 쓸고 다니며 뭔가를 찾고 있었다.

"재우 님!"

오로지 찾는 것에만 몰두해 있었는지 아무리 불러도 듣지 못하는 듯 보였다. 서둘러 다가가 그의 어깨를 돌렸더니 땀으로 범벅된, 잔뜩 일그러진 그의 표정이 눈에 들어왔다. 그 또한 내가 다시 돌아올 걸 예상 못했는지 눈앞에 서서 가빠진 숨을 고르고 있는 날 보며 놀란 눈치였다.

"왜 여기 계세요? 숙소로 가셔야죠."

"혼자 찾는 것보단 같이 찾는 게 빨라요. 뭐 찾으면 돼요?"

왜 이러고 있는지 물어볼 시간조차 없어 보였다. 절대 잃어버려선 안 될 물건을 잃어버린 것처럼 보여 일단 물건부터 찾고 보자는 생각에 같이 손을 거들었다.

"…시계예요. 은색 테두리에 검정 가죽……."

손짓까지 하며 대략적인 외형을 설명해 주는 걸 듣고는 바로 함께 찾기 시작했다. 특성상 떨어졌을 때 굴러가진 않았을 것 같은데, 누군가가 주워서 그대로 가져갔을까 봐서 걱정이었다. 같은 생각을 하는 건지, 절 앞까지 가까워졌을 때 남자의 한숨은 더 많아졌고, 연신 눈썹까지 내려온 앞머리를 쓸어 올리며 끓어오르는 답답함을 무언 속에서 표출해 냈다.

한참을 허리 숙여 찾다 답답함에 고갤 들어 하늘을 보니 벌써 해가 지기 시작했다. 주차장 입구부터 대원사까지 안 뒤진 곳이 없을 정도로 찾아다닌 것 같은데, 어디서도 시계 줄조차 찾을 수 없었다. 남녀 둘이 허리 숙여 무언가를 찾고 있는 걸 보며 지나가던 스님도, 관광객들도 힐끗힐끗 보며 어느 분은 무슨 일이냐 물어보기도 했지만, 남자는 그럴 때마다 입술을 굳게 다물고 고개만 두어 번 저을 뿐, 다시 시계를 찾는 것에만 몰두했다. 그럼 자연스레 사람들은 뒤에서 어쩔 줄 몰라 불안한 표정만 짓고 있는 날 보았고, 마음 같아선 같이 찾자고 도움을 요청하고 싶었으나, 지금 딱 여기까지가 내가 끼어들 수 있는 범위일듯하여 말없이 고개만 꾸벅 숙이고는 뒤따라 찾으러 다녔다.

"혹시 비싼 거면… 그렇지 않다면…….“

"그게 중요한가요!?"

해는 저물어가고, 도무지 방법이 없어 보여 답답한 마음에 건넨 말을 남자가 뚝 잘라먹고는 꽤 날카로운 목소리로, 내 쪽은 보지도 않고 말했다.

"……."

사실 이 정도면 그만할 줄 알았다. 그만하라고 하면 어쩔 수 없단 목소리로 멈출 것으로 생각했는데, 남자는 전혀 그럴 생각이 없어 보였고 오히려 화를 내는 모습에 적잖게 당황했다. 어떻게 해야 할까, 평소 같으면 말없이 돌아갔을 것이다. 아니, 애초에 같이 찾으려고 하지도 않았을 건데, 주차장에서 황급히 떠나는 모습 속 표정이 너무나도 절박해 보여 나도 마음이 이끌리는 대로 그에게 온 건데, 알아주길 바라는 건 아니지만 내 상황, 내 마음은 전혀 신경 쓰지 않는 그의 모습에 나도 모르게 울컥 화가 치밀었다.

"…그럼 뭔데요."

"네?"

"세 시간이에요. 아무 말 없이 재우 님 뒤만 쫓아서 시계 찾은 지 세 시간이라고요. 누가 도와준다고 해도 말도 안 하고… 차라리 도움을 요청하던지, 아니면 포기하든지 해야죠. 이렇게 찾고 있다고 시계가 나타나는 것도 아니잖아요. 비싼 시계면 아깝지만 그래도 어쩔 수 없는 거고……."

안타깝기도 했고, 그냥 그가 조금만 날 알아줬으면 했다. 뒤에서 말 없이 함께 시계를 찾고 있었던 나한테, 그렇게 모질게만은 말하지 않았기를 바랐다. 그뿐이었다.

"비싸고 싸고의 문제가 아니에요. 저한텐 소중한 시계라고요."

"그러니까 그게 뭐냐는……."

"그냥 소중한 거라고요. 그걸 제가 말할 이유는 없잖아요!"

지금 이러고 있는 시간도 아까운 건지, 아니면 답답한 건지, 손을 허리에 얹은 채 바닥을 바라봤다, 고갤 들어 대원사 쪽을 바라봤다, 다시 바닥을 보며 한숨만 서너 번을 뱉었다. 목소리엔 이미 짜증이 뒤섞여 있었고, 말 한마디 한마디가 곱게 나오질 않았다. 짧은 시간이었지만, 늘 나에게 평온하다면 평온하고, 긍정적인 말만 했던 그가 이렇게 신경이 곤두선 말만…, 어떻게 보면 미운 말만 하는 게 낯설어 너는 말을 이어가지 못했다.

"전 이거 꼭 찾아야 해요. 그러니까 신경 쓰지 말고 그냥 가요."

오늘 그는 내가 자신을 도와주면서 겪은 고생들은 알아주지도 않을 것이다. 지금 그에겐 아무것도 보이지 않을 테고, 여기서 내가 더 말을 해봤자 언성만 높아질 것 같았다. 지금이 상황에서 그에게도, 나에게도 아무런 도움이 될 것 같지 않아 남자의 반대 방향으로 돌아섰다. 그만 집에 가야겠단 생각뿐이었다.

"…미안해요."

아직 그 자리에 서서 내가 가는 걸 보고 있는지, 뒤로 나지막이 그의 목소리가 들렸다. 전에는 들어본 적 없는 지치고 힘없는 목소리, 그 안에서도 짜증이 사라지지 않은 목소리.

"하…진짜……."

짜증이 섞여서일까, 아니면 지쳐 보여서? 아님… 이 와중에 나한테 미안하다고 하는 게 진심으로 느껴져서인지, 그의 미안하단 말에 더는 발이 떨어지지 않았다. 순간 이러는 게 오버지 않을까 고민했지만, 일단 하나씩 해결하는 걸 택했다. 저대로 두면 안 될 것 같았다.

"딱 한 시간만, 한 시간만 더 찾고 없으면 돌아가요. 그리고 스님께 말씀드리고 내일 다시 와요."

뒤도 안 돌아보고 갈 것같이 했지만, 미안하단 말에 뒤 돌아 성큼성큼 그의 앞까지 걸어온 날 보고 그는 적잖이 당황한 걸로 보였다. 온종일 바닥만 보며 눈 한 번 마주치지 않던 그가 드디어 내 얼굴을 마주보고 말했다.

"진짜 괜찮아요. 이럴수록 부담스러워요, 그만……."

"제가 안 괜찮아요. 저 가면 또 이렇게 바닥만 보고 있을 거잖아요. 차라리 찾을 거면 현명하게 찾자고요. 스님한테 말씀드려 놓으면, 내일 아침 공양 전에 연락해 주실 거예요. 그때도 없다고 하시면 다시 와서 찾음 되죠. 지금 이렇게까지 찾았는데 안보인 거면 진짜 없거나, 누가 주워갔거나, 아니면 피곤해서 놓치고 있는 걸 수도 있어요. 그러니까 딱 한 시간만 찾고 같이 가요."

어찌 보면 논리적으로 맞는 말이었다. 그렇지 않고서야 떨어뜨린 시계가 안 보일 수가 없으니까. 숨 한 번 쉬지 않고 다다다 말을 쏟아내곤 아직 끓어오른 감정이 풀리지 않아 가슴까지 들썩이며 숨을 내쉬어 보이자, 가만히 말을 듣고 있던 그가 천천히 고개를 끄덕였다.

그렇게 정확히 한 시간, 시계는 어디에도 없었고 멍하니 서서 어두워진 숲만 바라보고 있는 그를 놔두고 대원전 안에서 저녁 공양을 준비하고 있던 스님께 찾아가 상황을 설명드리고 내일 9시까지 찾아뵙겠다 말하곤 돌아섰다. 아직 미련이 남는 건지 쉽사리 발걸음을 떼지 못하는 그를 보며 잠깐 고민하다 그의 팔을 잡고 끌었다. 방법이 없다는 걸 아는지, 그도 뿌리치진 않고 손쉽게 따라왔다.

"순천만 현대 펜션으로 가주세요."

숙소로 이동하는 택시 안은 조용했다. 그도 가만히 눈을 감고는 있지만 눈 끝이 조금씩 떨리는 걸 보니 여러모로 생각이 복잡한 것 같아 나도 아무 말 없이 창밖만 바라봤다.

호프집

숙소에 도착 후 그는 말없이 자신의 방으로 돌아갔다. 나도 곧바로 관리실로 향했고, 찌릿하게 허리부터 발끝까지 이어지는 통증에 저절로 인상이 찌푸려졌다.

"사장님!"

도어락에 번호를 누르고 문을 여는 그때, 뒤에서 나를 부르는 소리가 들려 돌아보니 아까 대신 차를 운전하고 돌아간 201호 여성분이었다.

"괜찮으세요? 아까 갑자기 가셔서 너무 놀랐어요."

"아… 죄송해요. 설명도 못 드리고… 정말 죄송합니다."

지금 와서 보니 아까의 상황이 얼마나 당황스럽고 이들에게 무례한 상황이었을지… 밀려드는 죄송함에 어쩔 줄 몰랐다. 나도 어쩔 수 없는 상황이었으나, 옳지 못한 판단이었단 건 알기에 고개를 들 수가 없었다. 하루 종일 답답하고 죄송한 상황만 연속인 것 같았다.

"아니에요. 사정이 있으면 그럴 수 있죠. 차 키 드릴게요."

괜찮다는 듯, 여자는 활짝 웃으며 주머니에서 차 키를 꺼내 건넨 뒤 숙소로 향했고, 난 다시 한번 고개를 꾸벅 숙인 후 문을 열고 들어갔다.

"아… 짜증 나……."

터덜터덜 들어와 의자 위에 앉으니, 온몸의 통증이 배로 밀려왔다. 족히 네다섯 시간은 그렇게 움직여댔으니, 안 아픈 곳이 없었다.

"짜증 나… 진짜…….."

어찌 보면 그와 내 사이가 너무나도 얕은 관계이기에 오히려 오늘의 내 행동은 다소 선을 넘은 거라고 볼 수도 있지만, 그래도 그가 너무했다. 내가 어떤 마음으로 다가갔는지, 어떻게든 도움을 주고 싶었던 내 마음은 모르는 건지… 잘 들어가란 말 한마디 없이 방으로 가버린 뒷모습이 지워지지 않았다. 괜스레 머리를 좌우로 흔들며 지우고자 했다.

"됐다… 됐어. 맥주나 마셔야지."

답답한데 뭘 어찌할 수는 없으니, 맥주라도 마셔서 털어내고 싶어 냉장고를 열었으나 맥주 창고에 아무것도 담겨있지 않았다. 손님들에게 맥주를 판매하고 있진 않지만, 그래도 가족들 모두 한두 잔은 즐겨 마셔서 늘 챙겨 놓기 때문에 다른 곳에 있나 싶어 엄마한테 전화를 걸었다.

"어 엄마, 냉장고에 맥주 다 떨어진 거야? 아니면 다른 곳에 있어?"

"뭐라고??"

전화 받는 엄마 주변이 시끌시끌했다. 목소리가 잘 들리지 않는지, 다시 말해달란 엄마의 말에 단어 하나하나에 힘주며 목소리 톤을 높여 말했다.

"맥주! 집에 없어!? 어디야!?"

"어!! 없어! 엄마 지금 네 언니랑 아빠랑 축제 왔어!"

금요일마다 야시장이 열린다고 했는데, 오늘이 그날인가 보다. 알겠다고 하고 끊은 뒤, 차 키를 가지고 밖으로 나왔다. 주변 마트까진 차로 약 10분, 금방 다녀와야겠단 생각에 차 문을 열고 시동을 걸었다. 그리고 출발 하려는 그때, 오른쪽에서 뭔가 반짝였다.

"어……?"

조수석 좌측 아래 틈에서 무언가가 반짝였고, 순간 머릿속을 스치는 생각에 급하게 시동을 끄고 내려서 조수석으로 달려가 문을 열었다.

"아…….“

반짝이는 은색 테두리, 검은색 가죽으로 둘러싸인 이 시계는 분명 박재우 거다. 다만, 고리를 채우는 부분의 가죽이 오래돼 찢어져 있었고, 아마 괜찮다고 생각해 계속 찼던 것 같은데, 가죽이 낡아 더는 자극을 버티지 못해 찢어진 상태로 떨어진 걸 알아차리지 못했던 것 같다. 떨어져 틈에 끼어있는 시계를 보니 한동안 아무 말도 할 수 없었다. 찾았다는 안도감과 여기 있었다는 것에 대한 어이없음, 그리고 이거 때문에 날 그렇게 매몰차게 대했던 그의 태도에 대한 분노, 서운함… 그러면서도 이걸 보고 기뻐할 그의 모습에 대한 기대감 등이 마음에 한 번에 쏟아져 들어왔다. 가만히 서있던 것도 잠시, 그에게 빨리 돌려주고 싶어 108호로 달려갔다.

쿵쿵쿵

'똑똑' 하고 기다리는 게 좋겠지만, 지금은 머리보다 행동이 먼저 나가고 있었다. 빨리 열라는 듯 쿵쿵 두드리고 잠시 기다렸다 다시 두어 번 문을 두드렸지만, 건너편에선 아무런 반응이 없었다.

"재우 님, 없어요? 안에 없어요?"

못 듣는 건지, 일부러 안 열어 주는 건지 몰라 그를 외쳐봤지만 역시나 반응이 없었다. 빨리 줘야 하는데, 기다리고 있을 텐데… 마음이 조급해지며 다시 쿵쿵 두드렸다 뒤 돌아 관리소로 뛰어갔다. 한 손엔 시계를 꼭 쥐고, 한 손으로 예약자 명단을 찾았고, 적힌 번호로 전화를 걸었다.

"…네."

어딜 간건지, 시끄러운 소리만 가득했다.

"여보세요? 재우 님 전데요, 현대 펜션."

"…아… 네… 알아요……."

"…술 마셔요?"

"네… 왜요……?"

나도 마시려고 했는데, 그는 오죽했을까. 이런저런 얘기를 하는 것보다 빨리 시계를 주는 게 낫다 생각이 들어 어디냐고 물었고, 그는 별말 없이 근처에 있는 호프집 이름을 댔다. 전화를 끊고 차로 향하려다, 다시 돌아 차 키는 관리소에 두고 택시를 잡아탔다.

"얼마나 마신 거예요."

호프집으로 들어서자마자 왼쪽 창가에 그가 앉아있었나. 안주가 나온 지 얼마 되지도 않은 것 같다만, 오자마자 소주를 들이부었는지 이미 소주는 두 병째 놓여 있었고, 그마저도 거의 다 마셔가는 차였다.

"왜 왔어요. 쉬지… 피곤할 텐데."

이미 말은 늘어지기 시작했고, 한쪽으로 얼굴을 괴고는 소주잔만 잡고 있는 그의 모습을 보니 어지간히 힘들었구나, 예상됐다. 나도 아마 이 시계가 없었다면 그랬겠지. 오늘의 상황이 너무 답답하고 화가 나서 술만 들이부었겠지. 왜인지 모르겠지만, 그가 힘들어하는 건 더 이상 보고 싶지 않아 주머니에 넣어놨던 시계를 꺼내 그의 눈앞에 보여줬다.

"어······!"

분명히 반쯤 눈이 감기고 목소리도 늘어져 있었는데, 아무것도 하기 싫다는 듯 다 포기한 사람과 같은 표정이었는데, 턱을 괴고 있던 손으로 급하게 시계를 가져가고는 믿기지 않았는지 이리저리 시계를 살펴보았다.

"차에 있었어요. 보니까 끝이 낡아서 찢어졌던데⋯ 조심했었어야죠. 시계 무게도 있어서 이런 건 금방 끊어져요. 내일 근처 시계방 알려드릴 테니까 가서 가죽 교체해요."

"아⋯ 안 그래도 가죽만 좀 바꾸려고 했는데, 오늘 이렇게 떨어져 버릴 줄 몰랐어요. 진짜⋯ 고마워요."

붉게 달아올라 상기된 표정으로 터져 나오는 미소를 참을 수 없는지 이미 얼굴엔 미소가 한가득하였고, 점원에게 소주 한 병을 더 주문하는 나를 그가 가만히 바라보고 있었다. 곧바로 소주 한 병과 소주잔이 왔고, 남자 점원이 소주잔을 건네주는 걸 그가 가로채 한 잔을 따라 내 앞에 두었다. 이어서 그도 자신의 잔에 소주를 한 잔 따라 나와 잔을 부딪쳤고 말없이 그렇게 소주 두 잔을 연달아 마셨다.

"이제 말해줄래요? 오늘 왜 그렇게 시계를 찾으러 다닌 건지."

사실 가장 궁금한 건 시계의 의미였다. 이렇게 그가 간절히 찾은 거라면, 그의 하루 종일의 기분을 좌지우지할 정도라면 어떤 건지… 의미가 궁금했다. 시계 자체는 그렇게 오래된 것 같지 않았지만, 가죽 쪽이 얼마나 손을 탔는지, 혹은… 얼마나 손에서 놓지 않았는지, 끊어진 가죽만 봐도 어느 정도 예측은 가능했으나, 그를 통해 듣고 싶었다.

"저한테 소중한 거예요. 엄청……."

소중하단 말에 힘을 쏟아 말하고는 다시 한 잔 마신다. 곧이어 나도 따라 마셨지만, 아직 그의 감정이 따라오진 않았다. 그저 맛이 썼을 뿐이다.

"…고등학교 때, 어머니가 사주셨어요. 그게 3년 전 유품이 됐고요."

유품이라 말하는 그가 잠시 고개를 숙였다 다시 소주를 한 잔 따랐다. 그러고는 바로 마시지 않고 머뭇, 무언가 생각하는 듯 가만히 있다가 이내 잔을 내려놓고는 나에게 술을 한 잔 따랐다. 그리곤 내가 잔을 부딪쳐오기 전까지 기다렸다. 이번엔 같이 마셨다.

왜 그렇게 그가 시계에 절실했는지, 그게 없으면 안 된다는 듯 행동했는지가 이해되는 말이었다. 어렴풋이 예상은 했지만 (부적 소중한 것이겠거니 생각은 했지만) 그에게 직접 들으니 더 아무 말도 하지 못했다. 술을 한 모금 마시고는 둘 다 동시에 후, 하고 한숨을 내쉬곤, 동시에 그랬다는 게 웃겼는지 누가 먼저라 할 것 없이 웃음이 터졌다. 아까 절에서와는 달리 한숨이 무겁지 않았다.

호프집 2탄

"아니 그렇다고 화를 내는 게 어디 있어요? 난 진짜 자기 생각해서 엄청나게 고생했구먼……."

벌써 소주 네 병째, 나도 그렇지만 그도 적게 마시는 타입은 아닌듯 했다. 네 병을 비웠지만 시계를 찾은 후부터 다시 시작된 건지, 아직 정신은 멀쩡했다. 다만 빨갛게 달아오른 두 뺨과 한층 업된 목소리 톤은 둘 다 피해 갈 수 없었지만, 지금은 이런 모습조차 좋았다.

"그러니까… 왜 따라와서 고생하냐고요. 난 진심이었어, 왜 나 때문에 고생하냐, 그거였지."

"참나… 말 한번 예쁘게 하네요. 아니 어차피 찾아야 하는데 좀 토닥이면서… 응? 그러면 안 되나? 자기 때문에 허리 한 번 못 피고 내내 시계만 주구장창……."

아직도 어깨, 허리 안 아픈 곳이 없다. 오른손으로 왼쪽 어깨를 콩콩 두드리면서 아픈 시늉을 하자, 그런 내 모습이 웃긴 지 그가 연신 웃음을 멈추지 않았다. 그리곤 내 앞쪽으로 안주를 조금 밀어주었다.

"먹어요. 오늘 고생했으니까 맛있는 거라도 먹어야지."

"병 주고……."

"약 주는 건 맞는데, 그렇다고 병만 주는 사람이 될 순 없잖아. 얼른 먹어요. 안주 먹으면서 마셔야 내일 속 안 쓰려요."

앞으로 밀어준 거로는 모자랐는지, 그릇에 탕을 한 국자 떠서 내 앞으로 놓아주곤 먹으라며 고갯짓을 몇 번, 손끝으로 탁자를 탁탁, 그리곤 내가 한 스푼 입에 가져가서 먹기 전까지 시선을 거두지 않았다.

"…이상해."

"뭐가요?"

"이렇게…. 이렇게 잘 보면서… 아깐 왜 그렇게 바닥만 봤어요?"

내가 지금 무슨 소리를 하는 건지, 한 문장 안에 하나의 뜻이 담긴 건 맞는지 채 판단이 되지 않는다. 취한 건가? 주량이 두 병이라 슬슬 취기가 올라오긴 하는데, 아직 멀쩡한데… 뭔가 생각하고 말하고 싶지 않았다. 평소 같으면 아무리 친구 사이에 서운한 게 있더라도, 회사에서 억울한 일이 있더라도 속으로 참아내고 굳이 말하지 않는데, 뭔가 그에겐 그러면 안 되는 것 같았다. 무엇보다, 그가 나에게 그래도 된다고 했다. 그러려니, 그럴 수 있다고.

"아깐… 미안해요. 진짜로. 시계가 없다고 생각하니까 나도 너무 힘들었어."

거기까지 말하곤, 그가 술을 한 잔 들이켰다. 들고 있는 잔을 내려놓지 못한 채 창밖을 한 번 바라본 그가, 다시 고개를 내 쪽으로 돌리곤 살짝 미소 지으며 말을 이어갔다.

"중요한 시험 땐 항상 그 시계를 차고 있었어요. 수능, 임용고시… 면접을 봤을 때도… 그리고 포기 하고 싶은 순간에 꼭 그 시계를 보고 다시 마음을 다잡았어요. 엄마가 시계를 주면서 그러셨거든, 언제든 돌아갈 순 있지만 후회하고 포기하진 말라고… 그래서 힘들 때나 좋았을 때나 그 시계 보면서 버틸 수 있었어요. 엄마가 돌아가셨을 때도… 시계 보면서 버틸 수 있었어요."

누구에게나 그런 게 있다. 원동력. 동기 부여. 그에겐 시계가 그런 의미이다.

"웃기지, 그럴 리가 없는데… 그냥 시계가 없으면 뭐든 자신이 없어요. 일할 자신도, 쉴 자신도… 그냥 그래요. 아직은 내가… 없이는 힘든가 봐요."

불안하겠지. 시계가 있음으로써 엄마가 지켜주고 있다고 생각할 수 있으니까. 아니란 걸 알면서도 시계가 떨어지는 순간 엄마와 진짜 멀어진다는 생각이 들 거라 아마 더 힘든 것이다. 겪어본 감정은 아니라 공감은 어렵지만, 머리로는 이해되는 상황이라 나도 묵묵히 그의 말을 들어줬다.

"돌아가신 지 3년 정도 된 거예요?"

"네, 원래도 좀 아프셔서… 그래도 마지막은 편하게 가셨어요."

"아직 많이 힘들겠네요."

"…엄마 고향이 순천인데, 한동안 여기 오지도 못했어요. 3년 만에 처음이에요."

씁쓸한 웃음을 지으며 다시 소주 한 잔. 입안에 한 번에 털어 넣은 소주가 쓰다기보단 아팠다.

"찾아서 다행이에요. 정말……."

"고마워요. 같이 찾아준 것도, 이렇게 와준 것도."

짠, 잔을 부딪치는 속도가 전보다 훨씬 천천히, 그러면서도 가벼워졌다. 오늘 남자도, 나도 서로에게 낯선 모습을 보여줬지만 그게 싫진 않았다. 오히려 가까워진 듯한 느낌이 들었다.

"사장님은, 그런 거 있어요?"

"어떤 거요?"

이전까진 잔을 부딪치는 소리, 술을 들이켜는 소리가 더 많이 나왔다면, 어느 순간부터 술을 마시는 것보다 서로 말을 이어가는 게 더 늘어나기 시작했다.

"시계처럼, 뭔가 사장님한테 엄청 의미 있는 물건이요. 사람이어도 되고."

"음… 글쎄요, 시계 같은 거… 글쎄……."

"보통 일하는 분들은 원동력이 있잖아요. 아니면 행운의 토템 뭐 그런? 아닌가?"

글쎄, 원동력이나 토템이나 너무 오랜만에 들어본 단어인듯하다. 누구나 일을 하는 이유가 있을 건데, 요즘은 그조차 잃어버리고 일한 지 오래라 원동력을 생각하려고 하니 아무 생각이 들지 않았다.

"뭐 그런 거 생각 하면서 일하나요… 그냥 돈 벌어야 하니까 하는 거죠."

"그래도, 처음 그 일을 선택한 이유가 있을 거잖아요."

"그런 게 있나요……?"

"있죠. 왜 없어요. 당연히 있을 거예요. 기억이 안 날 뿐이죠."

깜빡 잊었다. 그와의 대화에선 내가 아무리 피해 가려는 해도 그러기 어렵다는걸. 또다시 집요하게 내 생각을 말하게 하는 그의 화법에 나도 다시 원동력을 생각하고 있었다.

"그러게… 뭘까요."

"뭘까요."

"저도 궁금해요."

"저도 궁금해요."

"왜 말 따라 해요."

"따라 한 게 아니라, 궁금해서 그래요. 뭘까요? 사장님이 그 일을 선택한 이유가."

정말로 생각이 나지 않는다. 이 일을 시작한 지 벌써 7년이 넘었고, 지금은 거의 해야 하니까 한다고 생각하기 때문에 이유를 거기서 찾진 않는다. 그렇다고 나에게도 이유가 없었던 건 아닐 거라… 그의 말에 대답하고 싶은데 막상 떠오르지 않았다. 가만히 답을 찾아내고자 이리저리 시선을 돌리며 고민하고 있자, 그런 나를 보며 그가 소주 한 잔을 따라주고는 무심히 말했다.

"그렇게 일하다간 터져요."

"…뭐가요?"

"항상 초심을 생각해야죠. 내가 왜 이 일을 시작했는지, 왜 그렇게 힘들어도 버틸 수 있었는지. 그런 거 없으면 터져요, 번아웃 그런 거 온다고요."

마치 내가 이곳에 내려온 이유를 알고 있다는 듯 말하는 그가 순간 놀라웠다. 아직 일을 시작하지 않았다고 들었는데, 나한테 주는 조언은 거의 10년이 넘은 내 상사가 주는 조언과도 같아 어떻게 반응해야 할 지 모르겠기에 앞에 놓인 술잔만 연신 만져댔다.

"피하지 말고."

또다시 입가로 술잔을 가져가는 손을 그가 포개어 잡고는, 천천히 바닥으로 술잔을 내린다.

"가만 보면 사장님은 매번 답을 피하는 성향이 있더라고요. 당장 대답하지 않아도 되니까, 생각해 봐요. 그게 없으면 다시 돌아가도 금세 터지고 말 거예요. 옮겨도 똑같을 것이고, 버티면 버티는 대로 곪아버릴 거고. 설마 어쩔 수 없단 핑계로 그냥 버티려는 건 아니죠?"

만난 지 고작 일주일, 그런데 너무 날 꿰뚫고 있는 것 같았다. 사실 자신이 없어 다시 버텨보려고 생각하고 있었는데, 그 생각 또한 들킨 것 같아 할 말이 없었다.

"아까 나한테 막 소리 지르고 그러는 거 보니까 그냥 참는 성격은 아닌 것 같던데."

"…누가! …누가 소리를 질렀다고 그래요."

"저한테 그랬잖아요. 제가 안 괜찮아요!!!! 그게 지른 거죠."

"안 질렀다니까요!"

"네네 그럼 안 그런 걸로 해요."

"아니 진짜로……."

"네네 진짜로."

그렇게 몇 번의 실랑이가 반복되다, 끝은 어이없듯 웃으며 술 한 모금. 그렇게 시간은 흘렀고, 나가기 전 잠시 화장실을 다녀온 사이 그가 계산을 끝내고 밖에서 서서 바람을 쐬고 있었다. 그의 옆으로 다가가 가만히 불어오는 바람을 맞다가, 궁금했던 말을 툭 꺼내 물었다.

"내일도 투어해요?"

진심으로 궁금해서, 곧 퇴실 일이 다가오는 그와 함께 할 수 있는 시간이 한정적이기에 궁금해서 물었다. 그런 내 말이 웃긴 건지, 아니면 마음을 들킨 건지 한참을 웃다 그가 대답했다.

"내일은 안 해요."

"아⋯⋯."

"대신."

내 쪽을 바라보며 그가 말했다.

"밥 먹어요. 내일."

동천

시계 사건 이후 일주일, 그간 거의 매일 그와 점심을 먹고 시간을 보냈다. 누군가는 데이트한다고 볼 수도 있었겠지만, 사실 그와는 데이트보단 그냥 일상을 함께 보내는 게 전부였다. 같이 밥 먹고, 산책하고, 커피도 한잔하고. 다만 내 일상과는 조금 다른 점이 있다면, 그간 내가 하지 못했던, 아니 안 했던 것들 위주로 했다는 거다. 몸무게가 걱정돼 아메리카노만 마셨던 내가 기분이 좋아지고 싶을 때 달콤한 커피를 마시는 작은 변화부터, 틈만 나면 이렇게 느닷없이 순천으로 내려온 게 후회가 되어 일자리 포털사이트를 뒤적거리거나 다시 돌아가서 포기하고 일할 생각을 했지만, 지금은 내가 일을 시작하게 됐던 이유를 찾는 큰 변화까지, 여러모로 다른 일상을 살고 있었다. 그렇게 매일 시간을 보내다 보니 어느덧 그가 돌아갈 날이 훌쩍 다가오고 있었다.

"왜 실실 쪼개."

이리저리 옷을 대보면서 나도 모르게 그가 생각났나 보다. 피식 나오는 웃음을 참지 못했는지 그런 내 모습을 보고 언니가 툭툭 말을 건넸다.

"뭘, 왜 시비야."

"거울 봐봐. 너 아까부터 계속 웃고 있어. 뭐야? 뭐가 그렇게 신나?"

아마 매일 이랬겠지, 그와 만나기 전엔 늘 이렇게 웃음을 찾지 못하고 겉으로 티가 나곤 했다. 아마 언니는 나보다 일찍 샵에 나가 몰랐겠지만, 오늘은 쉬는 날이라 그런지 침대에 누워 사사건건 준비하는 나한테 트집이었다.

"울고 있는 것보단 낫지 않아?"

"별… 근데 너 언제 올라간다고 했지? 다음 수?"

"어, 다음 주 수요일."

"회사 다시 갈 거냐?"

선뜻 대답하지 못했다. 일주일 내내 고민했던 문제고, 그와 원동력을 얘기하면서 더더욱 머리가 복잡해져 결정을 내리지 못했다. 아무 말 없이 화장을 이어가자, 침대에 누워 핸드폰으로 이것저것 찾아보던 언니가 또다시 물었다.

"너 편한 대로 해. 그만두고 쉬어도 되고, 다시 일해도 되고."

"그렇긴 할 건데… 잘 모르겠어."

"모르겠으면 일단 가서 생각해 봐. 그래도 그렇게 그만둔다는 사람한테 쉬다 오라고 하는 회사도 흔치 않다."

"알지… 나도 알고 있지……."

너무나도 잘 알고 있다. 물론 회사에선 내가 꼭 필요해서 쉬다 오라고 한 거지만, 무엇보다 내가 변하지 않으면 안 된다는 사실을 알고 있기에 더더욱 고민이 되는 부분이었다. 쉬기 전엔 몰랐는데, 쉬면서 깨닫게 된 건 결코 내가 변하지 않으면 돌아가도, 돌아가지 않더라도 똑같을 거란 생각이었다.

"내려놔. 좀. 제발."

시선은 핸드폰에 있지만, 툭툭 건네는 말은 결코 그냥 스쳐 지날 수 없는 말이었다. 누구보다 나에 대해 잘 알고 있고, 내가 어떤 부분이 힘든지 알고 있기에.

"나도 알지. 나도 그러고 싶어……."

"하여튼 욕심만 많아서. 어휴 어휴 어휴 어휴휴."

얄미운 듯 눈을 흘겨보았지만, 언니 말이 맞았다. 이제 진짜 더는 피할 수 없이 결정을 내려야 했다. 그리고, 나 또한 변해야 하는 순간이었다.

오늘은 투어도 없고, 날도 꽤 따뜻하게 풀려 이전보다 옷을 가볍게 입었다. 연 청바지에 노란색 셔츠를 입고는 거울을 보고 셔츠 앞을 바지에 넣었다. 뺐다 반복하면 좀 더 나아 보이는 모습을 찾고 있었는데, 그때 뒤에서 남자의 목소리가 들려왔다.

"개인적으로 빼서 입는 게 나아요."

인기척이라도 내지, 넣고 빼면서 이리저리 둘러본 모습을 보였을 거로 생각하니 순간 부끄러워져 얼굴이 빨갛게 달아올랐다. 어쩔 줄 몰라 시선을 돌리고는 차로 황급히 향하자, 남자가 눈치챘는지 아무렇지 않게 따라오며 말을 붙였다.

"셔츠를 바지 안에 넣는 건 너무 사무적인 느낌 아닌가요? 직장인들 컨셉처럼. 모처럼 쉬고 있는데 옷을 그렇게 입을 필요는 없죠."

"…그렇지도 않아요. 전 회사 다닐 때 이런 바지도 못입는걸요."

"아…. 그럼, 뭐 어떻게 입든 상관없네요. 다 예쁘거든요."

멈칫, 시동을 걸다 남자의 말에 순간 당황했다가 다시 마음을 가다듬고 출발 준비를 했다.

"오늘은 어디 갈까요? 가고 싶은 곳 있어요?"

"음… 오늘은 그냥 동천 갈까요? 날이 좋아서 바람 좀 쐬면 좋을 것 같아요."

거의 2주가 다 되는 동안 하루도 빠짐없이 순천을 돌아다녔더니 이제 웬만한 관광지는 다 가본 것 같다. 남자가 말한 동천은 순천 시내 쪽에 위치했는데, 천이 넓고 크게 자리 잡고 있어 가볍게 조깅하기에도 좋고 끝엔 순천만까지 이어지기 때문에 하이킹을 하기에도 좋은 위치였다. 운전을 하면서 남자 쪽 창문을 두어 번 딸깍, 내려주었고 남자는 자연스레 바람을 맞이하면서 내가 내비게이션을 잘 확인할 수 있도록 핸드폰 화면을 내 쪽으로 살짝 기울여줬다. 일주일 동안 다니면서 서로 자연스레 생긴 습관이었다.

동천에 도착 후 근처 카페에서 커피를 사와 마시면서 천천히 걸었다. 날이 좋아서인지 강아지를 데리고 나온 가족들도 있었고, 서로 사진을 찍어주며 데이트를 하는 커플들도 보였다.

"내일이면 퇴실이죠? 기차 타고 가나요?"

아무렇지 않게, 아쉬운 티가 나지 않게 덤덤한 목소리로 물어봤으나 시선을 맞추기까진 어려워 그냥 정면을 바라보며 남자에게 물었다.

"네, 오후에 티켓 끊어놨어요."

"…그렇구나."

또 말없이 한참 걸었다. 엄마가 생각이 나서 내려왔다고 했는데, 마음은 괜찮아졌는지, 올라가면 바로 일을 시작하는지, 그럼, 어디 쪽에서 일하는지… 물어 보고 싶은 건 많았는데, 선뜻 물어보기가 어려웠다. 뭐 하나라도 부담이 될 수 있단 생각에, 또다시 피하고 있었다.

"그래도 덕분에 좋았어요. 어머니가 좋아했던 장소들도 많이 가봤고, 추억들도 떠올라서 좋았고…….."

그런 마음을 아는지, 그가 말을 이어갔다.

"올라가면 이제 일 시작해야죠. 여고라서 이런저런 걱정도 되고…

또 한동안 방학이 오기 전까진 적응하랴, 가르치랴 바쁠 것 같아요. 그럼… 이때가 많이 생각나겠죠."

늘 그렇듯, 내가 고민하고 생각만 하다 멈춘 것들을 그는 행동까지 끌어낸다.

"시계 가죽은 바꿨어요?

"아, 네, 소개해 준 곳 가서 했어요. 당분간은 또 괜찮겠죠."

그에겐 토템과 같다던, 소중한 시계. 그는 그 시계 덕분에 한층 더 앞으로 나아갈 것이다. 그렇지만, 난 아직 의미를 찾지 못해 어려웠다. 아직도 결론이 나지 않아 고민이 되는 상황이었다.

"잘은 모르지만, 제 생각엔 지연 씨는 그냥 일이 좋았던 것 같아요."

"네?"

"그냥, 그럴 수 있잖아요. 뭔가 동기가 돼서, 원동력이 돼서 일을 한다기 보단 일 하는 것 자체가 좋을 수도 있잖아요. 일 하면서 인정받는 스스로가 좋을 거고, 그러면서 더 위로 올라갈 수 있다는 게 지연 씨가 일을 할 수 있도록 도와주는 역할을 했을 거란 생각이 들더라고요."

"인정……."

생각해 보면 내가 처음에 일을 시작 했을 때도 인정을 받고자 하는 마음이었던것 같다. 빨리 돈을 벌어 부모님께 자립할 수 있는 사람으로 인정받고 싶은 마음, 일을 했을 땐 상사에게 잘한다고 인정받고 싶은 마음, 앞으로 본보기가 되어 좋은 리더로 인정받고자 하는 마음. 그 마음은 내가 어떤 자리에 있던지 늘 마음속에 차지하고 있었던 것 같다.

"모든 사람에게 인정욕구는 다 있다고 하지만, 지연 씨처럼 뭐가 원동력인지 모르는 사람들은 대게 인정욕구가 원동력일 때가 많거든요. 그래서, 더더욱 지금 힘들 거라고 생각해요. 남에게 인정받고자 하는 마음만 가득하고 정작 스스로를 인정해 주지 않으니까요."

전혀 생각하지 못했던 부분이었다. 누군가에게 인정받아야만 흔히 말해 연봉이 오르고, 삶의 질이 올라간다고 생각했기 때문에 그저 인정을 받기 위해 밤낮없이 일하고 리더로서 누군가의 일을 대신하곤 했었다. 그렇게 해서 인정을 받았을 땐 행복했지만, 정작 스스로를 인정해 본 경험은 없기에, 난데없이 터진 번아웃에 어떻게 해야 할 지를 몰랐던 거다.

천천히 떼어졌던 걸음이 차츰 멎어 들고, 제자리에 우뚝 서서 말하는 남자의 뒷모습만 바라보았다. 옆에서 함께 걸어오던 내가 시야에서 사라지자 남자는 뒤를 돌아 가만히 서있는 내게 손짓했다.

"얼른 와요. 이제 피하지 말고 부딪쳐야지. 회사, 결정해야 하잖아요."

알고 있다. 더 이상 피할 곳이 없다는걸. 그래서 더더욱 숨고 싶었는데, 이번에도 남자가 먼저 나를 꺼낸다. 멍하니 아무 생각 없이 서있었는데, 갑자기 알 수 없는 감정에 눈물이 날 것 같아서, 아랫입술을 꾹 깨물고는 눈으로 차오르는 느낌을 끌어 내리려고 애썼다.

"제일 좋은 건, 그냥 울어버리고 한번 터져주는 거예요."

그때부터 쌓였던 감정들이 전부 터져 나오는 건지 그 자리에 그대로 서서 하염없이 눈물만 흘렸다. 울지 말아야지, 그만 울고 다시 일해야지, 그런 생각도 할 필요 없이 그냥 그 순간의 내 감정에만 집중하여 쏟아지는 눈물을 그대로 받아냈다.

"일 하기 싫어서 울어요?"

도리도리, 고개를 열심히 저었다. 절대 아니다. 절대 일이 하기 싫어서 우는 게 아니다. 오히려 쉬면서 가장 먼저 든 생각이 다시 일을 하고 싶다는 생각이었다. 생각보다 내가 내 일을 좋아하고 있었다.

"그럼, 회사가 싫어서 울어요?"

도리도리, 그것도 아니다. 자신이 다니는 회사를 애사심에 다니는 사람이 얼마나 있겠냐마는, 그렇다고 싫은 것도 아니다. 어느 회사나 다 똑같을 거고, 내가 스스로 변하지 않으면 다른 회사를 가서라도 똑같이 힘들어지는 걸 알고 있다. 그럼, 왜?

"자신한테 미안해서 울어요?"

그런 것 같다. 스스로에게 미안해서, 어느 순간부터 남에게 잘 보이려는 마음과 일을 해내고야 말겠다는 의지만 가지고 일을 했지, 내 스스로를 돌보고 사랑하는 순간들을 많이 잊어버린 것 같았다. 실수를 하면 꼼꼼함이 부족하다 탓하였고, 성과가 나오지 않으면 노력이 부족했다 탓하며 밤낮없이 스스로를 갉아먹었다. 쇠송하난 발이 묶을 만큼 싫었고, 모두에게 완벽한 우상이 되길 바랐던 것이다. 그러다 보니 누구보다 나 스스로 나를 함부로 대했고, 그 여파가 인제야 되돌려 맞은 것이다. 아마 나 빼고 모두가 알고 있었겠지. 다른 사람이 아닌 내가 나 스스로를 구석으로 몰아넣고 외면하고 있었다는 걸.

"모든 사람이 행복할 수는 없어요. 그렇다고 행복하지 않을 이유는 아무것도 없어요. 생각보다 간단하거든요. 난 지연 씨가 조금만 더 자신을 사랑해 주변 지금보다는 훨씬 행복할 것 같아요."

끄덕끄덕, 이후로 한참 시간이 지나 눈물이 멎을 때까지 그는 옆에서 가만히 있어 주었다. 한번 터진 눈물이 사그라들 때까진 조금 시간이 걸렸지만, 어느 순간 멎으면서부터는 이상하리만큼 개운했다.

"…속이 후련하네요."

"다행이에요. 그간 너무 참았어요."

눈물이 멎은 후로 다시 천천히 천을 걸었다. 자리에서 너무 울었던 건 아닌가, 조금 민망하긴 했지만, 생각보다 후련함이 커서 기분이 좋았다. 손에 들고 있는 커피가 뜨거움 보단 뜨뜻미지근한 느낌이 드는 걸 보니 꽤 그 자리에서 울었던 모양이다.

"어떻게 그렇게 잘 알아요? 저 본 지 얼마 안 됐잖아요."

아무리 생각해도 이 남자, 귀신 같기도 하고 이상하다. 어떻게 나에 대해 이렇게 잘 아는지 궁금했다.

"딱 보면 알죠. 이래도 꿍, 저래도 꿍. 뭐든 참으려고 하는 성격이 그냥 기본으로 있잖아요. 가끔 터져줘야 해요. 그게 본인 스스로의 일일 때면 더더욱 자주."

모르죠? 얼굴 엄청 티나요, 라며 손가락으로 얼굴을 가리키고는 참을 땐 이렇게, 라며 입술을 꾹 다문 채 눈이 뾰쪽, 양쪽으로 찢어지는 모습을 따라 했다. 그 모습이 익숙하면서도 어이가 없어서 나도 모르

게 똑같은 표정을 지었는지 남자가 또다시 따라 했다. 그렇게 웃음이
계속 터졌다.

"…고마워요."

"별말씀을. 아, 근데 그건 좀 미안해야 한다."

"뭘요?"

딱히 미안하게 한 게 없는데, 남자의 말에 놀라 가던 걸음을 천천히
세우고 남자 쪽을 바라봤다.

"방금 되게 난처했던 거 알아요? 누가 보면 나랑 싸워서 우는 줄 알
아. 그래서 나 일부러 계속 웃으면서 있었잖아요. 나까지 표정 안 좋으
면 진짜 오해할까 봐."

"참 별……."

근데 그럴 법도 했다. 울면서도 은근히 옆에 지나가며 '싸웠나
벼…', '냅둬… 저러면서 사귄디야…' 하는 말들이 오가는 걸 듣기도
했다. 남자의 말에 반박할 수도, 그렇다고 미안하다고 하기에도 애매
해 그냥 그대로 웃으며 다시 걸음을 재촉했다. 남자보다 살짝 앞서서,
이젠 뒤처지지 않게.

"얼른 가죠. 배고픈데. 같이 먹는 마지막 점심이니까 제가 쏠게요,
진짜 맛있는 거로."

"마지막?"

"네?"

마지막이라는 말에 순간 남자의 얼굴에 당황한 표정이 스치고, 곧
바로 굳어지더니 한 톤 낮아진 목소리로 남자가 말을 이어갔다.

"설마 이러고 끝낼 건 아니죠?"

"네? 아……."

아마 마지막이라는 말에 반응한 걸로 보아 기분이 상했나 싶었지만, 자세히 보니 서운함이었다. 어떻게 말해야 하는지… 나도 이대로 그냥 스쳐 지나가는 해프닝으로 보내고 싶진 않지만, 너무 짧은 순간 그를 만난 터라 마음이 정리되지 않은 상황이라 바로 대답하기가 어려웠다. 그런 날 아는지, 이번에도 역시나 그가 먼저 다가왔다.

"쏠 거면 크게 쏴요. 한 번으로 끝내지 말고 두세 번은 쏴야죠. 그 정도 되지 않나요?"

"뭐, 그렇죠. 근데 곧 올라간다고…"

"미국을 가는 것도 아니고, KTX 타면 두 시간이면 가는데… 그리고 직장 서울 아니에요? 설마… 돈 아까운 건…….."

"아뇨! 쏠게요. 저 복귀 하고 연락할게요. 괜찮죠?"

"아까운 것 같은데…….."

"아니라니까 진짜."

"편의점 가는 거 아닌지 몰라…….."

"아, 진짜!"

그렇게 한참을 투덕거렸고, 결국 끝은 웃음이었다. 시답잖은 이야기만 반복되지만, 그래도 그와 함께 있는 순간만큼은 아무 생각 없이 감정에 충실할 수 있어서 좋다. 아무 걱정 없이, 그냥 뭐든 잘될 것 같다는 생각이 들게 하는 사람이라는 게 신기할 뿐이었다. 그렇게 하루가, 내 상황이, 그의 여행이 마무리됐다.

용산역

그가 떠나고 약 일주일, 다시 투어를 진행하고 펜션 마당을 정리하는 등 일상다운 일상을 보냈다. 가끔 언니가 운영하는 샵에 가서 강아지를 돌보기도 하고, 부모님과 같이 저녁에 고기를 구워 먹기도 하면서 걱정 없는 하루를 보냈다. 남은 시간 동안 어떻게 마음을 정리하고 결정해야 하는지에 대한 고민은 그날 동천에서 보낸 시간으로 끝냈다. 생각보다 빠르게 정리가 된 게 신기했지만, 그렇다고 섣부른 결정은 아니기에 후회는 없었다. 그렇게 일주일이 지나고, 오후 기차를 타기 위해 짐을 챙기느라 정신없는 아침이었다.

"미리미리 짐을 싸놓으라니까, 윤지연 진짜 아오……!"

"아 금방 싸! 5분이면 돼."

"너 그래 놓고 또 뭐 빠졌다고 보내달라고 하면 죽는다."

아무것도 안 챙겨 내려왔지만, 3주라는 기간이 쌓이며 생긴 짐들을 챙기다 보니 꽤 짐은 늘어갔고, 언니 잔소리도 끊기질 않았다. 다만, 욕 먹을 만하다 생각해서 그런지 딱히 타격이 없긴 했다.

"다 준비되면 나와라, 아빠는 차에 먼저 가 있는다."

"네네."

그래도 3주나 있었는데 내심 아쉬웠는지, 아빠가 순천역까지 같이 가기로 했다. 이 정도면 다 챙긴 것 같아 짐을 들고는 급하게 나가는데, 뒤에서 혹시 몰라 놔두고 가는 건 없는지 이것저것 훑어보던 언니가 빽 하고 소리를 지른다.

"충전기!!!"

"아 맞다!"

결국은 욕을 한 번 더 얻어먹고는 황급히 짐을 챙겨 나왔다. 나중에 또 올게, 인사를 나눈 뒤, 차에 타 순천역으로 향했다. 3주간 하루도 빠짐없이 다닌 순천만 거리, 펜션 앞 골목 모두 그냥 스쳐 지나갈 수 있었지만 하나씩 눈에 담고자 했다. 자주 올 거지만, 그때와 지금의 마음은 다를 테니까. 지금, 이 순간을 나만의 토템으로 만들어 혹 나중에 또 똑같은 상황이 벌어져 도망가고 싶거나 아무것도 하기 싫어질 때면, 내가 얼마나 일을 원했고 돌아가고 싶어 했는지 기억하고 싶었다. 그렇게 장면 하나하나 눈 속에 담고 보니 벌써 순천역에 도착했고, 아빠와 짧은 인사를 나누곤 짐을 끌고 역사로 들어갔다. 3주 전보단 짐은 무겁게, 마음은 가볍게. 그리고 약 세 시간 뒤, 용산역에 도착했다.

오후 3시, 그동안 꺼놓은 사내 메신저를 켰고, 메시지 하나가 도착해 있었다.

[복귀 할거죠?]

아마 내심 불안했겠지. 덤덤하게 쉬다 오라 했지만, 혹여나 돌아오지 않을까 걱정도 했을 거다. 그 마음이 메시지에서 너무 느껴져서, 미안하면서도 웃음이 났다. 평일이지만 여전히 바쁜 용산역을 한 바퀴 둘러 보고는 심호흡 한 번, 그리고 서둘러 메시지를 써 내려갔다.

[네 내일 뵙겠습니다.]

그리고 마음이 변하기 전에, 잊어버리기 전에 연락처를 찾아 메시지를 보냈다.

[술 사기로 한 약속, 오늘 지킬게요.]

아직 걷고 있는 사람들을 위해

발행 2024년 7월 7일

지은이 햅삐킴, 이화영, 지구소풍, 배가은, 이희주

라이팅리더 조주헌

디자인 윤소정

펴낸이 정원우

펴낸곳 글ego

출판등록 2019.06.21 (제2019-000227호)

주소 서울시 강남구 강남대로 118길 24 3층

이메일 writing4ego@gmail.com

홈페이지 http://egowriting.com

인스타그램 @egowriting

ISBN 979-11-6666-515-8